CB056308

GHOST STORIES

HISTÓRIAS DE FANTASMAS DE UM ANTIQUÁRIO

M.R. James

PandorgA

Todos os direitos reservados
Copyright © 2021 by Editora Pandorga

Direção Editorial
Silvia Vasconcelos

Produção Editorial
Equipe Editora Pandorga

Tradução
Raquel Casini

Revisão
Gabriel Lago
Raquel Guets

Capa e Projeto Gráfico
Lumiar Design

Texto de acordo com as normas do Novo Acordo Ortográfico da Língua Portuguesa
(Decreto Legislativo nº 54, de 1995)

Dados Internacionais de Catalogação na Publicação (CIP) de acordo com ISBD

J27h   James, M. R.

         Histórias de fantasmas de um antiquário / M. R. James ; traduzido por Raquel Casini ; ilustrado por Simon Harmon Vedder, James Mcbryde. - Cotia : Pandorga, 2021.
         184 p. : il. ; 14cm x 21cm.

         Traduçao de: Ghost Stories of an Antiquary
         Inclui índice.
         ISBN: 978-65-5579-093-1

         1. Literatura inglesa. 2. Ficção. 3. Suspense. 4. Terror. I. Casini, Raquel. II. Vedder, Simon Harmon. III. Mcbryde, James. IV. Título.

2021-2005   CDD 823.91
                                  CDU 821.111-3

Elaborado por Odilio Hilario Moreira Junior - CRB-8/9949

Índice para catálogo sistemático:
1. Literatura inglesa : Ficção 823.91
2. Literatura inglesa : Ficção 821.111-3

2021
IMPRESSO NO BRASIL
PRINTED IN BRAZIL
DIREITOS CEDIDOS PARA ESTA EDIÇÃO À
EDITORA PANDORGA
Avenida São Camilo, 899
CEP 06709-150 - Granja Viana - Cotia - SP
Tel. (11) 4612-6404

www.editorapandorga.com.br

SUMÁRIO

Apresentação [7]

O álbum de recortes do Cônego Alberic [11]

Corações perdidos [29]

O mezzotint [47]

O freixo [65]

Número 13 [85]

Conde Magnus [107]

"Oh! Assovie, e eu irei até você, meu rapaz" [127]

O tesouro do Abade Thomas [157]

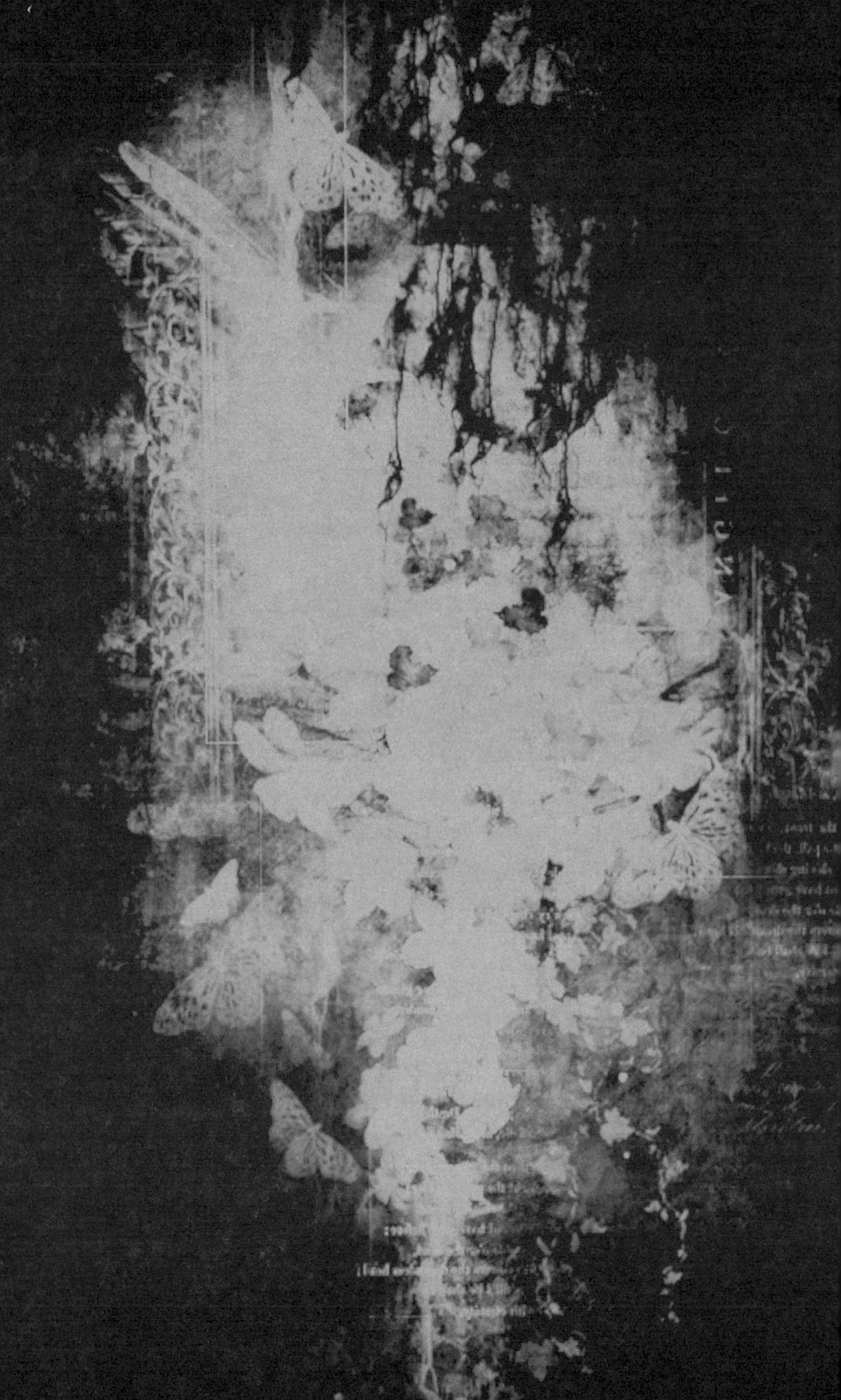

APRESENTAÇÃO

A atemporalidade das histórias de fantasma de M. R. James deve muito à capacidade do autor de criar sensações de mal-estar físico no leitor, pelo frequente uso de recursos sensoriais. Essas sensações nunca dependem apenas de efeitos visuais, como a visão de um espectro horrível ou o choque de reconhecer um ancestral morto. Muitas de suas histórias, poucos sabem, foram escritas para serem lidas em voz alta, no lugar da página impressa, e, à época, as ilustrações como recurso sensorial pouco ofereciam.

Independentemente do que o leitor pudesse sentir, as ilustrações eram vistas como desejáveis pela maioria dos editores durante a época em que Monty estava escrevendo, especialmente para periódicos populares. Houve duas tentativas de ilustradores para *Histórias de fantasmas de um antiquário*, e, inicialmente, James contratou Simon Harmon Vedder para as ilustrações que comporiam a edição em dezembro de 1895, na revista *Pall Mall*. Simon Harmon Vedder (1866-1937) era um jovem artista americano em ascensão, mas seu estilo em aquarela não ganhou a simpatia do autor que, após o conto "Corações perdidos", dispensou os trabalhos com Simon.

Quando *Histórias de fantasmas de um antiquário* foi lançado, em 1904, a crítica e os leitores ficaram surpresos quando descobriram que o volume continha apenas quatro ilustrações, já que engloba 8 histórias. Bem, logo no prefácio da primeira edição, James explicou que montou a coleção com a ajuda de um amigo que se ofereceu para ilustrá-la, mas este morreu inesperadamente antes de finalizá-las, completando apenas quatro delas.

O amigo em questão era o estudante James McBryde, que o autor conheceu em 1893, no King's College, em Cambridge, onde era reitor. Os dois eram bem próximos e o estudante era uma das poucas pessoas a quem James lia as novas histórias que escrevia. A amizade continuou mesmo após a formação de McBryde e uma parceria profissional também foi iniciada; os dois pensavam em trabalhar juntos na publicação das histórias de fantasmas reunidas.

Em maio de 1904, McBryde escreveu: "Acho que nunca fiz nada de que gostasse mais do que ilustrar suas histórias".

Infelizmente, McBryde morreu de complicações após uma operação de apêndice. James foi inflexível para que nenhum substituto fosse encontrado, e *Histórias de fantasmas de um antiquário* foi publicado com apenas quatro ilustrações em homenagem a seu amigo.

Nessa edição, incluímos ambos os artistas e suas ilustrações de modo a garantir uma experiência ímpar.

Aos desavisados e aos curiosos, boa leitura.

Essas histórias são dedicadas a todos aqueles que em vários momentos as ouviram.

M. R. James

Se alguém estiver curioso sobre minhas localidades, fique registrado que St. Bertrand de Comminges e Viborg são lugares reais: em "Oh! Assovie, e eu irei até você", eu tinha Felixstowe em mente. Quanto aos fragmentos de erudição ostensiva que estão espalhados por minhas páginas, pouco deles são pura invenção; nunca houve, naturalmente, um livro como o que cito em "O tesouro do Abade Thomas". "O álbum de recortes do Cônego Alberic" foi escrito em 1894 e impresso logo depois na *National Review*; "Corações perdidos" apareceu na *Pall Mall Magazine*; das cinco histórias seguintes, a maioria das quais lidas para amigos na época do Natal no King's College, Cambridge, só me lembro de que escrevi "Número 13" em 1899, enquanto "O tesouro do Abade Thomas" foi produzido no verão de 1904.

M. R. James

Uma mão como a mão daquela foto.
(James McBryde)

O ÁLBUM DE RECORTES DO CÔNEGO ALBERIC

St. Bertrand de Comminges é uma cidade decadente nos picos dos Pireneus, não muito longe de Toulouse e ainda mais perto de Bagnères-de-Luchon. Foi o local de um bispado até a Revolução e possui uma catedral que é visitada por um número satisfatório de turistas. Na primavera de 1883, um homem britânico chegou a este lugar do velho mundo — mal posso exaltá-la com o nome de cidade, pois não tem mil habitantes. Ele era um homem de Cambridge, que viera especialmente de Toulouse para ver a Igreja de St. Bertrand e deixara dois amigos, arqueólogos menos entusiasmados do que ele, em seu hotel em Toulouse, com a promessa de que se juntariam a ele na manhã seguinte. Meia hora na igreja seria o suficiente para *eles*, e todos os três poderiam então prosseguir sua jornada em direção a Auch. Mas nosso homem britânico chegara cedo no dia em questão e propôs-se a preencher um caderno e usar várias dezenas de filmes no processo de descrever e fotografar cada canto da maravilhosa igreja, que domina a pequena colina de Comminges. Para obter essas imagens de forma satisfatória, era necessário controlar o vigário paroquial naquele dia.

O vigário, ou sacristão (eu prefiro a última denominação, por mais imprecisa que seja), foi enviado então por uma senhora um tanto brusca que fica na estalagem de Chapeau Rouge, e, quando chegou, o homem britânico achou-o um objeto de estudo inesperadamente interessante. O interesse não estava na aparência pessoal do velhinho seco e enrugado, pois ele era exatamente como dezenas de outros guardiões de igrejas na França, mas sim em um curioso ar furtivo, ou um pouco investigativo e oprimido, que ele possuía. Ele estava constantemente olhando um pouco para trás, os músculos de suas costas e ombros pareciam arqueados em uma contração nervosa contínua, como se esperasse a cada momento encontrar-se nas garras de um inimigo. Era difícil para o homem britânico saber se deveria considerá-lo como um homem assombrado por uma ilusão fixa, ou como alguém oprimido por uma consciência culpada, ou como um marido insuportavelmente submisso. As probabilidades, quando calculadas, certamente apontavam para a última ideia, mas, ainda assim, a impressão transmitida foi a de que ele era perseguido por alguém muito mais formidável do que uma esposa dominadora.

No entanto, o homem britânico (vamos chamá-lo de Dennistoun) logo estava muito distraído em seu caderno e muito ocupado com sua câmera para dar mais do que um olhar casual para o sacristão. Sempre que olhava para ele, encontrava-o a uma distância não muito grande, encolhendo-se contra a parede ou agachando-se em uma das deslumbrantes cadeiras do coro. Dennistoun ficou inquieto depois de um tempo. As diversas suspeitas de que ele estava mantendo o velho longe de seu *déjeuner*, de que era considerado provável que ele fugisse com o báculo de marfim de St. Bertrand ou com o crocodilo empalhado e empoeirado que estava sobre a fonte, começaram a atormentá-lo.

— O senhor não vai para casa? — disse ele finalmente. — Sou capaz de terminar minhas anotações sozinho. O senhor pode deixar-me trancado aqui se preferir. Desejaria ao menos mais duas horas aqui, e deve estar frio para o senhor, não?

— Meu Deus! — disse o homenzinho, a quem a sugestão pareceu lançar em um estado de terror inexplicável. — Tal coisa não pode ser pensada nem por um momento. Deixar o senhor sozinho na igreja? Não, não. Duas horas, três horas, tudo será igual para mim. Tomei o café da manhã e não estou com frio, muito obrigado, senhor.

— Muito bem, meu homenzinho. O senhor foi avisado e deverá arcar com as consequências — disse Dennistoun consigo mesmo.

Antes de expirarem as duas horas, o cadeiral do coro, o enorme órgão antigo, o coro alto do Bispo John de Mauléon, os restos de vidro e tapeçaria e os objetos na preciosa arca foram bem e verdadeiramente examinados. O sacristão ainda se mantinha nos calcanhares de Dennistoun, e de vez em quando girava como se tivesse sido picado, quando um ou outro dos estranhos ruídos que incomodam um grande edifício vazio caía em seu ouvido. Ruídos curiosos eram esses, às vezes.

Dennistoun disse-me:

— Certa vez, eu poderia jurar que ouvi uma voz fina e metálica rindo no alto da torre. Lancei um olhar curioso ao meu sacristão. Ele estava com os lábios brancos.

"É ele, isto é, não é ninguém. A porta está trancada", foi tudo o que o sacristão disse, e ficamos nos olhando por um minuto inteiro.

Outro pequeno incidente deixou Dennistoun bastante confuso. Ele estava examinando um grande quadro escuro, pendurado atrás do altar, de uma série que ilustra os milagres de St. Bertrand. A composição da pintura é quase indecifrável, mas há uma lenda em latim logo abaixo, que assim seguia:

> Qualiter S. Bertrandus liberavit hominem quem diabolus diu volebat strangulare.
> (*Como St. Bertrand libertou um homem a quem o demônio tentou estrangular*).

Dennistoun estava próximo de se virar para o sacristão com um sorriso e certo comentário jocoso nos lábios, mas ficou confuso ao ver o velho homem de joelhos, olhando para a pintura com os olhos de um suplicante em agonia, as mãos firmemente entrelaçadas e uma chuva de lágrimas em seu rosto. Dennistoun naturalmente fingiu não ter notado nada, mas a pergunta não se afastou dele:

— Por que um borrão desse tipo afetaria alguém de maneira tão forte?

Ele parecia ter alguma pista do motivo do olhar estranho que o intrigara durante todo o dia: o homem devia ser monomaníaco, mas qual seria sua monomania?

Eram quase cinco horas, o curto dia chegava ao fim, e a igreja começou a se encher de sombras, enquanto os curiosos ruídos — as passadas abafadas e as vozes distantes que falavam, perceptíveis o dia todo —, sem dúvida por causa da luz fraca e da consequente sensação acelerada de barulhos, pareciam tornar-se mais frequentes e insistentes.

O sacristão começou pela primeira vez a dar sinais de pressa e impaciência. Ele soltou um suspiro de alívio quando a câmera e o caderno foram finalmente embalados e guardados, e apressadamente acenou para Dennistoun até a porta oeste da igreja, embaixo da torre. Era hora de bater o Angelus. Alguns puxões na relutante corda e o grande sino Bertrande, no alto da torre, começou a falar e levantou sua voz entre os pinheiros, desceu em direção aos vales, alto com as correntes das montanhas, chamando os moradores dessas colinas solitárias para lembrar e repetir a saudação do anjo que a chamou bem-aventurada entre as mulheres. Com isso, um profundo silêncio pareceu cair pela primeira vez naquele dia na pequena cidade, e então Dennistoun e o sacristão saíram da igreja.

À porta, eles entabularam uma conversa.

— O senhor parecia se interessar pelos antigos livros do coro na sacristia.

— Sem dúvida. Eu ia perguntar se havia uma biblioteca na cidade.

— Não, senhor. Talvez houvesse uma que pertencesse ao Comitê, mas agora é um lugar tão pequeno — aqui apareceu uma estranha pausa de indecisão, ao que parecia. E então, com uma espécie de pressa, ele continuou: — Mas se o senhor é um *amateur des vieux livres*[1], tenho algo em casa que lhe pode interessar. Não fica nem a cem metros daqui. De repente, todos os acalentados sonhos de Dennistoun de encontrar manuscritos de inestimável valor em cantos inexplorados da França brilharam, para morrerem novamente no momento seguinte. Provavelmente era um estúpido missal da prensa de Plantin, por volta de 1580. Qual era a probabilidade de um lugar tão próximo de Toulouse não ter sido saqueado havia muito tempo por colecionadores? No entanto, seria tolice não ir. Ele faria censuras contra si mesmo para sempre se recusasse. Então eles partiram. No caminho, a curiosa indecisão e a súbita determinação do sacristão voltaram para a mente de Dennistoun e ele se perguntou, envergonhado, se estava sendo atraído para algum subúrbio para ser tratado como um suposto homem inglês rico. Planejou, portanto, começar a conversar com seu guia e informar, de modo um tanto desajeitado, o fato de que esperava que dois amigos se juntassem a ele na manhã seguinte. Para sua surpresa, o anúncio pareceu aliviar o sacristão de uma vez da ansiedade que o oprimia.

— Isso está bom — disse ele com bastante vivacidade. — Isso está muito bom. O senhor viajará em companhia de seus amigos, eles estarão sempre perto do senhor. É bom viajar assim em companhia... Às vezes.

A última palavra pareceu acrescentada como uma reflexão tardia, trazendo consigo uma recaída na obscuridade para o pobre homenzinho.

---

1. N. T.: "amante dos velhos livros".

Eles logo chegaram à casa, que era bem maior do que suas vizinhas, construída em pedra, com um escudo esculpido sobre a porta: o escudo de Alberic de Mauléon, um descendente não linear, disse-me Dennistoun, do Bispo John de Mauléon. Esse Alberic foi um Cônego de Comminges de 1680 a 1701. As janelas superiores da mansão estavam cobertas com tábuas, e todo o local tinha, como o restante de Comminges, o aspecto de decadência.

Chegando à sua porta, o sacristão parou por um momento.

— Talvez, talvez, afinal, o senhor não tenha tempo? — disse ele.

— De jeito nenhum: muito tempo, nada para fazer até amanhã. Vejamos o que o senhor tem.

A porta foi aberta nesse momento, e um rosto olhou para fora; um rosto muito mais jovem que o do sacristão, mas com algo parecido, com o mesmo olhar angustiante. Porém só aqui parecia a marca não tanto do medo da segurança pessoal como também da aguda ansiedade por conta de outro. Claramente, a dona do rosto era a filha do sacristão, mas, pela expressão que descrevi, ela era uma menina suficientemente bonita. Ela animou-se consideravelmente ao ver seu pai acompanhado por um estranho saudável. Alguns comentários foram trocados entre pai e filha, dos quais Dennistoun apenas captou estas palavras, ditas pelo sacristão: "Ele estava rindo na igreja" — palavras que foram respondidas apenas por um olhar de terror da menina.

Mas em um minuto eles estavam na sala de estar da casa, uma pequena e alta câmara com piso de pedra, cheia de sombras em movimento lançadas pelo fogo da lenha que cintilava em uma grande lareira. Algo da aparência de um oratório foi percebido graças a um alto crucifixo, que alcançava quase o teto de um dos lados. A figura foi pintada com as cores naturais, a cruz era preta. Debaixo dele ficava um baú com alguma idade e solidez. Quando uma lâmpada foi trazida e as cadeiras colocadas, o sacristão foi até esse baú e pegou, com crescente excitação e nervosismo, como Dennistoun notara, um grande livro embrulhado num pano branco, no qual uma cruz fora rudemente bordada com linha vermelha. Mesmo antes que o pano fosse removido, Dennistoun começou a se interessar pelo tamanho e formato do volume.

"Grande demais para um missal", pensou ele. "E não tem a forma de um livro de cânticos. Talvez seja algo bom, afinal."

No momento seguinte, o livro foi aberto e Dennistoun sentiu que ele finalmente iluminou algo melhor do que bom. Diante dele estava um grande fólio, encadernado, talvez no final do século XVII, com o brasão do Cônego Alberic de Mauléon estampado em ouro nas laterais. Talvez houvesse cento e cinquenta folhas de papel no livro, e em quase todas elas estava presa uma folha de um iluminado manuscrito. Como uma coleção com que Dennistoun jamais sonhara em seus momentos mais loucos. Aqui estavam dez folhas de uma cópia do Gênesis, ilustradas com imagens que não podiam ser posteriores a 700 d.C. Mais adiante estava um conjunto completo de pinturas de um saltério, de execução inglesa, do tipo mais fino que o século XIII poderia produzir; e, talvez o melhor de tudo, havia vinte folhas de escrita uncial em latim, que, como indicavam algumas palavras vistas aqui e ali de uma vez, deveriam pertencer a algum tratado patrístico muito antigo e desconhecido. Seria um fragmento da cópia de Papias, "Nas palavras de Nosso Senhor", que se sabia ter existido até o século XII em Nîmes?[2*] Em

---

2. * Agora sabemos que essas folhas continham um fragmento considerável daquela obra, senão uma cópia real dela.

qualquer caso, ele estava decidido: aquele livro deveria retornar a Cambridge com ele, mesmo que tivesse de sacar todo o seu saldo do banco e ficar em St. Bertrand até o dinheiro chegar. Ele ergueu os olhos para o sacristão para ver se em seu rosto havia qualquer indício de que o livro estaria à venda. O sacristão estava pálido e seus lábios moviam-se. — Se o senhor seguir até o fim — disse ele.

Então o homem seguiu, encontrando novos tesouros a cada avanço de uma folha, e ele encontrou duas folhas de papel no final do livro, de data muito mais recente do que qualquer coisa que ele havia visto até então, o que o deixou intrigado. Deveriam ser contemporâneos, decidiu ele, do inescrupuloso Cônego Alberic, que sem dúvida saqueara a biblioteca da Comuna de St. Bertrand para formar esse álbum de recortes de valor inestimável. Na primeira das folhas de papel estava um plano, cuidadosamente desenhado e imediatamente reconhecível por uma pessoa que dominava o terreno, do corredor sul e dos claustros de St. Bertrand. Havia sinais curiosos que pareciam símbolos planetários e algumas palavras hebraicas nos cantos, e no ângulo noroeste do claustro havia uma cruz desenhada com tinta dourada. Abaixo do plano, havia algumas linhas de escrita em latim, que estavam da seguinte forma:

> *Responsa 12^{mj} Dec. 1694. Interrogatum est: Inveniamne? Responsum est: Invenies. Fiamne dives? Fies. Vivamne invidendus? Vives. Moriarne em lecto meo? Ita.*

(Respostas de 12 de dezembro de 1694. E foi perguntado: Devo encontrá-lo? Resposta: Tu deves. Devo tornar-me rico? Tu desejas. Devo viver como um objeto de inveja? Tu desejas. Devo morrer em minha cama? Tu desejas).

— Um bom espécime do histórico do caçador de tesouros: lembra bastante o Sr. Vigário Quatremain em Old St. Paul's — foi o comentário de Dennistoun, e assim virou a página.

O que ele viu impressionou-o, como muitas vezes contou a mim, mais do que ele poderia ter concebido qualquer desenho ou imagem capaz de impressioná-lo. E, embora o desenho que ele vira não exista mais, há uma fotografia dele (a qual possuo) que confirma totalmente essa afirmação. A imagem em questão era um desenho em sépia do final do século XVII, representando, diríamos à primeira vista, uma cena bíblica. Pois a arquitetura (a imagem representava um interior) e as figuras tinham aquele sabor semiclássico que os artistas de duzentos anos atrás consideravam apropriado para ilustrações da Bíblia. À direita estava um rei em seu trono, elevado em doze degraus, com um dossel no alto, leões em ambos os lados — evidentemente o Rei Salomão. Ele estava se curvando para a frente com o cetro estendido, em atitude de comando; seu rosto expressava horror e repulsa, mas também havia nele a demonstração de vontade imperiosa e confiante poder. A metade esquerda da imagem era a mais estranha, no entanto.

O interesse claramente permaneceu ali. No chão, diante do trono, estavam agrupados quatro soldados cercando uma figura agachada que logo será descrita. Um quinto soldado estava morto no chão, com o pescoço distorcido e os olhos fora das órbitas. Os quatro guardas ao redor olhavam para o rei. Em suas faces, o sentimento de horror era intensificado. Eles pareciam, de fato, apenas impedidos de fugir por sua implícita confiança em seu mestre. Todo esse terror foi claramente intensificado pelo ser que se agachava no meio deles. Desespero-me inteiramente ao transmitir por quaisquer palavras a impressão que essa figura causa a todo aquele que a observa. Lembro-me de uma vez que mostrei a fotografia da imagem a um professor de morfologia — uma pessoa de, eu diria, hábitos mentais anormalmente sãos e sem imaginação.

Ele recusou-se absolutamente a ficar sozinho pelo resto da noite e depois me disse que, por muitas noites, não ousara apagar a luz antes de dormir. No entanto, as principais características da figura posso ao menos indicar. Em princípio, notava-se apenas uma massa de cabelos pretos emaranhados; logo se percebia que isso cobria um corpo de terrível magreza, quase um esqueleto, mas com os músculos destacando-se como fios. As mãos eram de uma palidez sombria, cobertas, como o corpo, por cabelos compridos e ásperos e garras horrendas. Os olhos, tocados por um amarelo ardente, tinham pupilas intensamente negras e estavam fixos no trono, no rei, com uma expressão de ódio animal. Imagine uma das terríveis aranhas caçadoras de pássaros da América do Sul modificada em forma humana, e dotada de inteligência pouco menos que humana, e terá uma vaga concepção do terror inspirado por essa aterradora imagem. Uma observação é universalmente feita por aqueles a quem mostrei a figura:

— Sua vida foi drenada.

Assim que o primeiro choque de seu irresistível temor desapareceu, Dennistoun lançou um olhar para seus anfitriões. As mãos do sacristão estavam pressionadas sobre seus olhos, e sua filha olhava para a cruz na parede, expondo febrilmente suas contas.

Por fim, a pergunta foi feita:

— Esse livro está à venda?

Houve a mesma hesitação, o mesmo impulso de determinação que ele havia notado antes, e então a resposta bem-vinda foi dada:

— Se o senhor desejar.

— Quanto o senhor cobra por ele?

— Pedirei duzentos e cinquenta francos.

Isso foi desconcertante. Até mesmo a consciência de um colecionador às vezes é agitada, e a consciência de Dennistoun era mais tranquila que a de um colecionador.

— Meu bom homem! — disse ele repetidas vezes. — O livro do senhor vale muito mais do que duzentos e cinquenta francos. Garanto-lhe: muito mais.

A resposta, no entanto, não variou:

— Pedirei duzentos e cinquenta francos, não mais.

Realmente não havia como recusar tal oportunidade. O dinheiro foi pago, o recibo assinado, um copo de vinho bebido durante a transação e, em seguida, o sacristão parecia transformar-se em um novo homem. Ele ficou de pé, parou de lançar aqueles olhares desconfiados para trás; ele realmente riu, ou tentou rir. Dennistoun levantou-se para ir embora.

— Teria a honra de acompanhar o senhor ao seu hotel? — disse o sacristão.

— Oh, não, obrigado! Não dá cem metros. Conheço perfeitamente o caminho, e há lua.

A oferta fora forçada três ou quatro vezes e recusada com a mesma frequência.

— Então, o senhor deve chamar-me se... se assim precisar. Siga pelo meio da estrada, as laterais estão muito acidentadas.

— Certamente, certamente — disse Dennistoun, que estava impaciente para examinar seu prêmio sozinho e saiu em direção à estrada com o livro debaixo do braço.

Aqui ele fora encontrado pela filha. Ela parecia ansiosa por fazer um pequeno negócio por conta própria, talvez, como Geazi, "tirar um pouco" do estrangeiro que seu pai havia poupado.

— Um crucifixo de prata e um colar para o pescoço. Talvez sejam bons o suficiente para que o senhor aceite?

Bem, realmente, Dennistoun não via muita utilidade para essas coisas.

— O que a senhorita deseja por isso?

— Nada, nada no mundo. O senhor deve mais que recebê-lo de bom grado.

O tom em que isso e muito mais foi dito era inconfundivelmente genuíno, de modo que Dennistoun limitou-se a agradecer profundamente e a envolver o colar em seu pescoço. Parecia de fato que ele prestara ao pai e à filha algum serviço que eles mal sabiam como retribuir. Quando ele saiu com seu livro, eles ficaram parados à porta olhando para ele, e ainda estavam olhando quando ele acenou um último adeus da escadaria do Chapeau Rouge.

O jantar terminou e Dennistoun estava em seu quarto, calado e sozinho com sua aquisição. A proprietária manifestou um interesse particular por ele desde que lhe dissera que havia visitado o sacristão e comprado dele um antigo livro. Pensou também ter ouvido um apressado diálogo entre ela e o dito sacristão na passagem do lado de fora da *salle à manger*[3] e encerraram a con-

---
3. N.T.: "sala de jantar".

versa algumas palavras como: — Pierre e Bertrand devem estar dormindo na casa.

Todo esse tempo, uma sensação crescente de desconforto vinha se apoderando dele — reação nervosa, talvez, após o deleite de sua descoberta. Fosse o que fosse, resultou na convicção de que havia alguém atrás dele e que ele estava muito mais confortável de costas para a parede. Tudo isso, claro, pesava leve na balança contra o valor evidente da coleção que ele adquirira. E agora, como eu disse, ele estava sozinho em seu quarto, fazendo um balanço dos tesouros do Cônego Alberic, que a cada momento revelavam algo mais encantador.

— Bendito Cônego Alberic! — disse Dennistoun, que tinha o hábito involuntário de falar sozinho. — Pergunto-me: onde está ele agora? Minha nossa! Gostaria que a proprietária aprendesse a rir de maneira mais alegre. Dá a sensação de que havia alguém morto na casa. Meio cachimbo a mais, a senhora disse? Creio que tem razão. Eu me pergunto o que seria esse crucifixo que a jovem insistiu em me dar? Do século passado, suponho. Sim, provavelmente. É uma coisa um tanto inconveniente tê-lo à volta do pescoço — é pesado demais. Provavelmente, seu pai o teria usado há anos. Acho que posso fazer uma limpeza antes de guardá-lo.

Ele tirou o crucifixo e o colocou sobre a mesa, quando sua atenção foi atraída por um objeto estendido no pano vermelho, bem ao lado de seu cotovelo esquerdo. Duas ou três ideias do que poderia ser pairavam em seu cérebro, com suas próprias velocidades incalculáveis.

— Um limpador de caneta? Não, não existe tal objeto na casa. Um rato? Não, preto demais. Uma aranha grande? Espero pela misericórdia que não. Meu Deus! Uma mão como a mão daquela imagem!

Em outro olhar insignificante, ele percebeu. Pálida e escura, cobrindo nada além de ossos e tendões de força espantosa; grossos pelos pretos, longos como nunca haviam crescido em mão humana; unhas subindo das pontas dos dedos e curvando-se fortemente para baixo e para a frente, cinzentas, acentuadas e tortas.

Ele pulou da cadeira com um terror mortal e inconcebível a agarrar seu coração. A forma, cuja mão esquerda repousava sobre a mesa, subia para uma posição de pé atrás de seu assento, a mão direita torta acima do couro cabeludo. Havia cortinas pretas e esfarrapadas, o cabelo grosseiro cobria-o, como no desenho. O maxilar inferior era fino — como posso chamá-lo? —, raso, como o de uma besta. Os dentes apareciam por trás dos lábios negros; não havia nariz; os olhos, de um amarelo ígneo, contra os quais as pupilas contrastavam-se negras e intensas. Mas o ódio exultante e a sede de destruir a vida que ali brilhava eram as feições mais horríveis de toda a imagem. Havia uma espécie de inteligência nele — inteligência além da de uma besta, abaixo da de um homem.

Os sentimentos que esse horror despertou em Dennistoun foram o medo físico mais intenso e o horror mental mais profundo. O que ele fez? O que ele poderia fazer? Ele nunca teve certeza de quais palavras proferiu, mas sabe que falou, que agarrou cegamente o crucifixo de prata, que estava consciente de um movimento em sua direção por parte do demônio e que gritava com a voz de um animal com uma horrível dor.

Pierre e Bertrand, os dois pequenos e robustos criados, que entraram correndo, não viram nada, mas sentiram-se empurrados para o lado por algo que passou entre eles, e encontraram Dennistoun desmaiado. Eles sentaram-se com ele naquela noite, e seus dois amigos estavam em St. Bertrand por volta das nove horas da manhã seguinte. Ele, embora ainda abalado e nervoso, era quase ele mesmo nesse momento, e sua história ganhou crédito entre eles, embora não antes de terem visto o desenho e conversado com o sacristão.

Quase ao amanhecer, o homenzinho chegara à estalagem por algum pretexto e ouvira com o mais profundo interesse a história assegurada pela proprietária. Ele não demonstrou surpresa.

— É ele! É ele! Eu mesmo o vi. — Foi seu único comentário, e a todos os questionamentos apenas uma resposta foi concedida: — *Deux fois je l'ai vu; mille fois je l'ai senti*[4]. Ele não lhes disse nada sobre a procedência do livro, nem detalhe algum de suas experiências.

— Dormirei em breve e meu descanso será doce. Por que o senhor deveria incomodar-me? — disse ele.*

*(Ele morreu naquele verão, sua filha se casou e se estabeleceu em St. Papoul. Ela nunca entendeu as circunstâncias da "obsessão" de seu pai).

Jamais saberemos o que ele ou o Cônego Alberic de Mauléon sofreram. Atrás daquele fatídico desenho estavam algumas linhas de escrita que podem lançar luz sobre a situação:

> *Contradictio Salomonis cum demonio nocturno.*
> *Albericus de Mauleone delineavit.*
> *V. Deus in adiutorium. Ps. Qui habitat. Sancte Bertrande, demoniorum effugator, intercede pro memiserrimo. Pri-*

---
4. N.T.: "Duas vezes eu o vi; mil vezes senti isso".

mum uidi nocte 12^{mi} Dec. 1694: uidebo mox ultimum. Peccaui et passus sum, plura adhuc passurus. Dec. 29, 1701[5.γ]

Nunca entendi muito bem qual era a visão de Dennistoun dos eventos que narrei. Ele mencionou uma vez a mim um texto de Eclesiástico:

— Há espíritos que foram criados para a vingança: aumentaram seus tormentos pelo seu furor.

Em outra ocasião, ele disse:

— Isaías era um homem muito sensato. Ele não disse algo sobre monstros noturnos que vivem nas ruínas da Babilônia? Essas coisas estão muito além de nós neste momento.

Outra confidência dele me impressionou bastante, e eu simpatizei com isso. Havíamos estado, no ano passado, em Comminges, para ver o túmulo do Cônego Alberic. Era uma grande elevação de mármore com uma imagem do cônego em uma grande veste e batina, e um elaborado elogio de seu aprendizado abaixo. Eu vi Dennistoun conversando por algum tempo com o vigário de St. Bertrand, e, enquanto íamos embora, ele me disse:

— Espero que isso não seja errado: você sabe que eu sou um presbiteriano, mas eu... eu acredito que devemos "rezar missas e cantar canções fúnebres" para o descanso de Alberic de Mauléon.

5.γ *ie* A disputa de Salomão com um demônio da noite. Desenhado por Alberic de Mauléon. *Versículo.* Senhor, apressa-te em me ajudar. *Salmo.* Aquele que habita [91]. St. Bertrand, que pôs os demônios para fugir, reze por mim, o mais infeliz. Eu o vi pela primeira vez na noite de 12 de dezembro de 1694: em breve o verei pela última vez. Pequei e sofri, e ainda tenho mais por sofrer. 29 de dezembro de 1701. A "Gallia Christiana" dá a data da morte do cônego como 31 de dezembro de 1701, "na cama, de um ataque repentino". Detalhes desse tipo não são comuns na grande obra do Sammarthani.

Em seguida, acrescentou, com um toque dos britânicos do norte em seu tom:

— Eu não fazia ideia de que eles eram tão queridos.

O livro está na Coleção Wentworth em Cambridge. O desenho foi fotografado e então queimado por Dennistoun no dia em que ele deixou o Comminges por ocasião de sua primeira visita.

Corações perdidos

Foi, tanto quanto posso verificar, em setembro do ano de 1811 que uma carroça parou diante da porta da Mansão Aswarby, no coração de Lincolnshire. O menino, que era o único passageiro na carroça e que saltou para fora assim que havia parado, olhou em volta com a mais aguçada curiosidade durante o curto intervalo que houvera entre o toque da campainha e a abertura da porta da Mansão. Ele viu uma alta e quadrada casa de tijolos vermelhos, construída no reinado de Anne, e uma varanda com pilares de pedra que fora adicionada no mais puro estilo clássico de 1790. As janelas da casa eram muitas, altas e estreitas, com pequenos painéis e grossa madeira branca. Um frontão, perfurado por uma janela redonda, coroava a frente. Havia alas à direita e à esquerda, conectadas por curiosas galerias envidraçadas, apoiadas por colunas com a parte central. Essas alas continham claramente os estábulos e escritórios da casa. Cada um era sobreposto por uma cúpula ornamental com um dourado cata-vento.

Uma luz crepuscular brilhou no edifício, fazendo as vidraças cintilarem como várias fogueiras. Longe da Mansão, na frente, espalhava-se um plano parque repleto de carvalhos e pinheiros com pinhas, que se destacavam contra o céu. O relógio na torre da igreja, escondido entre árvores na beira do parque, com apenas seu dourado galo dos ventos a captar a luz, dava seis horas, e o som vinha batendo suavemente no vento. Foi uma impressão agradável, embora tingida com o tipo de melancolia apropriada para uma noite no início do outono, que foi transmitida à mente do garoto que estava parado na varanda esperando que a porta se lhe abrisse.

O pequeno garoto... olhou ao redor com imensa curiosidade. (Simon Harmon Vedder)

A carroça trouxera-o de Warwickshire, onde, cerca de seis meses antes, ele se havia tornado órfão. Agora, devido à generosa oferta de seu primo idoso, Sr. Abney, ele viera viver em Aswarby. A oferta fora inesperada, porque todos os que sabiam alguma coisa do Sr. Abney viam-no como um recluso um tanto discreto, em cuja casa a chegada de um menino importaria um novo e, ao que parece, incongruente elemento. A verdade é que muito pouco se sabia das perseguições ou do temperamento do Sr. Abney. O professor de grego em Cambridge tinha ouvido dizer que ninguém sabia mais das crenças religiosas dos últimos pagãos do que o proprietário de Aswarby. Certamente sua biblioteca continha todos os livros disponíveis relacionados aos mistérios, aos hinos órficos, à adoração de Mitra e aos neoplatônicos. No salão de mármore, havia um belo grupo escultórico de Mitra matando um touro, que fora importado do Levante com grande custo pelo proprietário. Ele havia contribuído com uma descrição dela para a *Revista dos Cavalheiros* e havia escrito uma série notável de artigos no *Museu Crítico* sobre as superstições dos romanos do baixo império. Ele foi visto, na verdade, como um homem envolto em seus livros, e era uma questão de grande surpresa entre seus vizinhos que ele tivesse de fato ouvido falar de seu primo órfão, Stephen Elliott, muito mais do que se ele tivesse se oferecido para torná-lo um interno da Mansão Aswarby.

O que quer que fosse esperado por seus vizinhos, é certo que o Sr. Abney — o alto, o magro, o discreto — parecia inclinado a dar ao seu jovem primo uma recepção gentil. No momento em que a porta da frente foi aberta, ele deixou seu estudo de lado, esfregando as mãos com prazer.

— Como você está, meu rapaz? Como você está? Quantos anos você tem? — disse ele. — Isto é, você não está muito cansado da viagem, eu espero, para comer sua ceia?

— Não, obrigado, senhor — disse Mestre Elliott. — Estou muito bem.

— Esse é um bom rapaz — disse o Sr. Abney. — E quantos anos você tem, meu garoto?

Parecia um pouco estranho que ele tivesse feito a pergunta duas vezes nos primeiros dois minutos de seu contato.

— Terei doze anos no próximo aniversário, senhor — disse Stephen.

— E quando é seu aniversário, meu querido garoto? Onze de setembro, não é? Bom, muito bom. Daqui a quase um ano, não é? Eu gosto, ah! ah! Eu gosto de colocar essas coisas no meu livro. Está certo de que são doze? Certo?

— Sim, com certeza, senhor.

— Muito bem, muito bem. Leve-o para o quarto da Sra. Bunch, Parkes, e deixe-o tomar seu chá, ceia, o que quer que seja.

— Sim, senhor — respondeu o calmo Sr. Parkes e conduziu Stephen para os cômodos inferiores.

A Sra. Bunch era a pessoa mais confortável e humana que Stephen já conhecera em Aswarby. Ela o fez sentir-se completamente em casa. Eles tornaram-se grandes amigos em quinze minutos: e grandes amigos eles permaneceram. A Sra. Bunch tinha nascido na vizinhança cerca de 55 anos antes da data da chegada de Stephen, e sua residência na Mansão era de vinte permanentes anos. Consequentemente, se alguém conhecia as entradas e saídas da casa e do distrito, esse alguém era a Sra. Bunch, e ela não estava pouco disposta a comunicar suas informações.

Certamente havia muitas coisas sobre a Mansão e os jardins da Mansão que Stephen, de uma inclinação aventureira e questionadora, ansiava que lhe mostrassem.

"Quem construiu o templo no final do caminho de loureiros? Quem era o velho homem cuja foto estava pendurada na escada, sentado à mesa, com um crânio na mão?". Esses e muitos pontos semelhantes foram esclarecidos pelos recursos do poderoso intelecto da Sra. Bunch. Havia outros, no entanto, cujas explicações fornecidas eram menos satisfatórias.

"O Sr. Abney é um bom homem e ele vai para o céu?" (Simon Harmon Vedder)

Numa noite de novembro, Stephen estava sentado ao lado da lareira no quarto da governanta, refletindo sobre o ambiente.

— O Sr. Abney é um bom homem e ele vai para o céu? — ele perguntou de repente, com a confiança peculiar que as crianças possuem na capacidade de que os mais velhos resolvam essas questões, cuja decisão acredita-se ser reservada para outros julgamentos.

— Meu Deus! Abençoe essa criança! — disse a Sra. Bunch. — O mestre é uma alma tão adorável como jamais vi! Eu nunca lhe contei sobre o garotinho que ele tirou da rua, como você pode dizer, há sete anos? E a garotinha, dois anos depois de meu primeiro momento aqui?

— Não. Diga-me tudo sobre eles, Sra. Bunch, agora mesmo!

— Bem — disse a Sra. Bunch —, não sou capaz de me lembrar tanto da menina. Sei que o mestre a trouxe de volta consigo de sua caminhada um dia e deu ordens à Sra. Ellis, que era governanta na época, quanto a todos os cuidados que ela deveria prestar. E a pobre criança não tinha ninguém que lhe pertencesse — ela me disse isso por conta própria — e aqui ela viveu conosco um período de mais ou menos três semanas. E então, talvez por possuir algo de cigano em seu sangue, ou não, em uma manhã ela saiu de sua cama antes que qualquer um de nós tivesse aberto os olhos, e nem pistas naquele momento ou agora fui capaz de ver desde então. O mestre foi maravilhoso a esse respeito e teve todos os lagos revirados, mas creio que ela tenha sido afastada por aqueles ciganos, pois estavam cantando em volta da casa por cerca de uma hora na madrugada em que ela partiu. E Parkes declarou como ele os ouviu chamando-a na floresta durante toda aquela tarde. Querido, querido! Uma criança tímida ela era, tão silenciosa em seus modos e tudo, mas eu estava maravilhosamente encantada por ela, tão domesticada que era — surpreendente.

— E o garotinho? — perguntou Stephen.

— Ah, aquele pobre garoto! — suspirou a Sra. Bunch. — Ele era um estrangeiro — chamou a si mesmo Jevanny — e veio atordoado mexendo em sua sanfona, e, por viajar em um dia de inverno, o mestre esteve com ele naquele minuto e perguntou tudo sobre de onde ele viera, quantos anos tinha, como fizera o seu caminho, onde estavam seus parentes, e tudo tão gentil quanto o coração poderia desejar. Mas sucedeu o mesmo com ele. Eles são muitos, essas nações estrangeiras, suponho, e ele saiu uma bela manhã da mesma maneira que a garota. Por que ele se fora e o que ele fizera foi a nossa pergunta por cerca de um ano depois, pois ele nunca tocou sua sanfona e lá está ela, na prateleira.

O resto da noite foi passado por Stephen em diversos interrogatórios da Sra. Bunch e em esforços para extrair uma melodia da sanfona.

Naquela noite, ele teve um sonho curioso. No final da passagem no topo da casa, em que seu quarto estava situado, havia um banheiro velho e fora de uso. Ele estava trancado, mas a metade superior da porta estava envidraçada e, como as cortinas de musseline que costumavam ficar penduradas não estavam ali havia muito tempo, era possível olhar para dentro e ver a banheira de chumbo afixada na parede à direita, com a cabeça voltada para a janela.

Na noite de que estou falando, Stephen Elliott viu a si mesmo, como ele pensava, olhando pela porta envidraçada. A lua brilhava através da janela e ele estava olhando para uma figura que jazia na banheira.

Sua descrição do que viu lembra-me que uma vez vi a mim mesmo nos famosos cofres da igreja de St. Michan em Dublin, que possuem a horrível propriedade de preservar cadáveres em decadência por séculos. Uma figura inexprimivelmente magra e miserável, de uma cor empoeirada de chumbo, envolvida em uma roupa semelhante a uma mortalha, os lábios finos curvados em um fraco e terrível sorriso, as mãos pressionadas firmemente sobre a região do coração.

Assim que ele a observou, um gemido distante, quase inaudível, pareceu emitir-se de seus lábios, e os braços começaram a se agitar. O terror da visão forçou Stephen a se afastar, e ele percebeu que estava realmente no piso frio do corredor sob a luz da lua. Com uma coragem que eu não acho que possa ser comum entre os meninos de sua idade, foi até a porta do banheiro para verificar se a figura de seu sonho estava realmente lá. Ela não estava e ele voltou para a cama.

Ele foi até a porta do banheiro para verificar se a figura dos seus sonhos estava mesmo lá. (Simon Harmon Vedder)

A Sra. Bunch ficou muito impressionada na manhã seguinte com sua história e chegou ao ponto de substituir a cortina de musselina sobre a porta envidraçada do banheiro. O Sr. Abney, aliás, a quem confidenciou suas experiências no café da manhã, estava muito interessado e fez anotações sobre o assunto no que ele chamou de "seu livro".

O equinócio de primavera estava se aproximando, como o Sr. Abney frequentemente lembrava a seu primo, acrescentando que aquele sempre fora considerado pelos antigos um momento crítico para os jovens: Stephen faria bem em cuidar de si mesmo e fechar a janela de seu quarto à noite; e a cratera Censorinus tinha algumas observações valiosas sobre o assunto. Dois incidentes ocorridos nesse momento impressionaram a mente de Stephen.

O primeiro foi depois de uma noite inusitada e difícil que ele havia passado — embora ele não se lembrasse de nenhum sonho particular que tivesse tido.

Na noite seguinte, a Sra. Bunch estava se ocupando em consertar o pijama dele.

— Nossa, Mestre Stephen! — irrompeu ela, irritada. — Como consegue rasgar todo o seu pijama dessa maneira? Olhe aqui, senhor, que problemas dá aos pobres empregados que têm de remendar e consertar depois do senhor!

Havia de fato uma série mais destrutiva e aparentemente horrível de rasgos ou pontos na peça, o que, sem dúvida, exigiria uma agulha hábil para bem remendá-la. Eles estavam concentrados no lado esquerdo do peito — fendas longas e paralelas, cerca de seis polegadas de comprimento, algumas delas não perfurando bem a textura do linho. Stephen só podia expressar o seu completo desconhecimento sobre a origem deles: ele tinha certeza de que não estavam lá na noite anterior.

— Mas, Sra. Bunch — disse ele —, eles são exatamente como os arranhões na porta do lado de fora do meu quarto, e tenho certeza de que nunca tive nada a ver com o que está fazendo *isso*.

A Sra. Bunch olhou para ele de boca aberta, em seguida pegou uma vela, partiu às pressas da sala e foi ouvida fazendo seu caminho lá em cima. Em alguns minutos ela desceu e disse:

— Bem, Mestre Stephen, é uma coisa engraçada para mim como essas marcas e arranhões podem chegar até lá — muito alto para que qualquer gato ou cão as tenha feito, muito menos um rato: para todo o mundo como as unhas de um homem chinês, como meu tio no comércio de chás costumava dizer-nos quando juntas éramos meninas. Eu não diria nada para o mestre, não se eu fosse o senhor, Mestre Stephen, meu querido; apenas tranque a chave da porta quando for para sua cama.

— Eu sempre faço isso, Sra. Bunch, assim que concluo minhas orações.

— Ah, eis um bom menino: faça sempre suas orações, e ninguém poderá machucá-lo.

Com isso, a Sra. Bunch dirigiu-se para consertar o pijama rasgado, com intervalos de meditação, até a hora de dormir. Isso foi em uma noite de sexta-feira de março de 1812.

Na noite seguinte, o dueto habitual de Stephen e Sra. Bunch foi aumentado pela súbita chegada do Sr. Parkes, o mordomo, que, como regra, manteve-se bastante focado em *si mesmo* na sua própria despensa. Ele não viu que Stephen estava lá: ele estava, além disso, agitado e menos lento no discurso do que de costume.

— O mestre pode pegar seu próprio vinho, se quiser, de uma noite. — Foi seu primeiro comentário. — Ou eu faço isso durante o dia, ou nunca, Sra. Bunch. Não sei o que pode ser: provavelmente foram os ratos, ou o vento entrou nas adegas, mas não sou tão jovem como era e não posso continuar com isso como fiz.

— Bem, Sr. Parkes, o senhor sabe que é um lugar surpreendente para os ratos, é a Mansão.

— Não o nego, Sra. Bunch, e, para ter certeza, muitas vezes ouvi a história dos homens nos estaleiros sobre o rato que podia falar. Nunca confiei nisso antes, mas esta noite, se eu me abaixasse para encostar meu ouvido na porta do outro compartimento, poderia muito bem ter ouvido o que estavam dizendo.

— Oh, não, Sr. Parkes, não tenho paciência para suas fantasias! Ratos conversando na adega de vinhos!

— Bem, Sra. Bunch, não desejo discutir com a senhora: tudo o que digo é que, se decidir ir para o compartimento afastado e encostar o ouvido na porta, poderá provar minhas palavras neste minuto.

— Que bobagem o senhor fala, Sr. Parkes. Não é adequado para crianças ouvirem! O senhor vai fazer o Mestre Stephen perder o juízo.

— O quê? Mestre Stephen? — disse Parkes, recordando-se claramente da presença do garoto. — Mestre Stephen sabe muito bem quando estou brincando com a senhora, Sra. Bunch.

Na verdade, Mestre Stephen sabia muito bem para supor que o Sr. Parkes pretendia, em princípio, fazer uma brincadeira. Ele estava interessado, não de todo confortável, na situação, mas todas as suas perguntas foram mal-sucedidas ao induzir o mordomo a dar um relato mais detalhado de suas experiências na adega de vinhos.

Chegamos agora a 24 de março de 1812. Foi um dia de experiências curiosas para Stephen: um dia de rumor e vento, que encheu a casa e os jardins de uma impressão inquieta. Enquanto Stephen ficava perto da cerca do terreno e olhava para o parque, sentiu como se uma procissão interminável de pessoas invisíveis estivesse passando por ele no vento, carregada, incessante e sem objetivo, em vão esforçando-se para conterem a si mesmas, para alcançar algo que poderia interromper sua fuga e colocá-las novamente em contato com o mundo vivo do qual haviam feito parte. Após o almoço naquele dia, o Sr. Abney disse:

— Stephen, meu rapaz, você acha que seria capaz de vir até mim esta noite, por volta das onze horas em meu escritório? Estarei ocupado até esse momento e desejo mostrar-lhe algo relacionado à sua vida futura, o que é de extrema importância que saiba. Não deve mencionar esse assunto à Sra. Bunch nem a ninguém mais na casa, e é melhor que você vá para seu quarto no horário de costume.

Aqui estava uma nova emoção adicionada à vida: Stephen entendeu ansiosamente a oportunidade de ficar acordado até às onze horas. Ele olhou para a porta da biblioteca no caminho do andar de cima naquela noite e viu um braseiro, que muitas vezes notara no canto da sala, tirado do fogo. Uma velha xícara de prata dourada estava sobre a mesa, cheia de vinho tinto, e algumas folhas de papel estavam colocadas próximas a ela. O Sr. Abney estava borrifando incenso no braseiro de uma caixa redonda de prata, quando Stephen passou, mas não pareceu notar seus passos.

O vento cessara, ainda era noite e havia uma lua cheia. Por volta das dez horas, Stephen estava parado na janela aberta de seu quarto, observando a paisagem. Ainda como a noite, a misteriosa população dos distantes bosques iluminados pela lua por ora não estava embalada para descansar. De tempos em tempos, gritos estranhos e de andarilhos perdidos e desesperados soavam do outro lado da simples visão. Poderiam ser barulhos de corujas ou aves aquáticas, mas não se pareciam muito com nenhuma destas. Eles não estavam se aproximando? Agora eles soavam do lado mais próximo da água e, em alguns momentos, pareciam estar flutuando entre os arbustos. Então pararam, mas, assim que Stephen estava pensando em fechar a janela e retomar sua leitura de *Robinson Crusoe*, avistou duas figuras de pé no terraço de cascalho que se estendia ao longo do jardim lateral da Mansão — as figuras de um menino e uma menina, ao que parecia. Eles ficaram lado a lado, olhando na direção das janelas. Algo na forma da garota lembrava irresistivelmente seu sonho com a figura na banheira. O garoto inspirou-lhe o mais agudo medo.

Enquanto a menina ficava parada, meio sorrindo, com as mãos cruzadas sobre o coração, o menino, uma forma magra, com cabelos pretos e roupas esfarrapadas, erguia os braços no ar com uma aparência de ameaça e de impassível fome e ânsia. A lua brilhava sobre suas mãos quase transparentes, e Stephen viu que as unhas eram terrivelmente longas e que a luz brilhava através delas. Como ele estava com os braços assim levantados, revelou-se um aterrorizante espetáculo. No lado esquerdo do peito, abria-se uma cavidade negra; e sobreveio ao cérebro de Stephen, não a seu ouvido, a impressão de um daqueles gritos famintos e desolados que ele ouvira ecoando pelos bosques de Aswarby durante toda a noite. Num momento, essa terrível dupla moveu-se rápida e silenciosamente sobre o cascalho seco, e ele não os viu mais.

Stephen estava parado em frente à janela aberta de seu quarto.
(Simon Harmon Vedder)

Por mais assustado que estivesse, decidiu pegar sua vela e descer ao escritório do Sr. Abney, pois a hora marcada para seu encontro estava próxima. O escritório ou biblioteca dava para o corredor da frente da mansão num dos lados, e Stephen, impulsionado por seus terrores, não demorou muito para chegar até lá. Efetuar uma entrada não foi tão fácil. A porta não estava trancada, ele tinha certeza, pois a chave estava do lado de fora, como de costume. Suas batidas repetidas não obtiveram resposta. O Sr. Abney estava ocupado — conversando. Qual! Por que ele tentou gritar? E por que o grito estava sufocado em sua garganta? Ele também vira as crianças misteriosas? Mas agora tudo estava quieto, e a porta cedeu ao aterrorizado e frenético empurrão de Stephen.

Sobre a mesa do escritório do Sr. Abney, foram encontrados certos papéis que explicavam a situação a Stephen Elliott quando ele tivesse idade para compreendê-los. Seguem as frases mais importantes:

> *Era uma crença muito forte e geralmente sustentada pelos antigos — de cuja sabedoria nesses assuntos tive uma experiência que me induz a confiar em suas afirmações — que, ao realizar certos processos, que, para nós, modernos, têm uma natureza bárbara, uma evidência muito clara das faculdades espirituais do homem pode ser alcançada: que, por exemplo, absorvendo as personalidades de certo número de suas criaturas semelhantes, um indivíduo pode obter uma ascendência completa sobre as ordens de seres espirituais que controlam as forças elementares do nosso universo.*

Está registrado por Simon Magus que ele era capaz de voar no ar, de tornar-se invisível ou de assumir qualquer forma que desejasse, pela ação da alma de um menino que, para usar a caluniosa frase empregada pelo autor de Reconhecimentos Misericordiosos, ele "assassinou". Além disso, creio com detalhes consideráveis nos escritos de Hermes Trismegistus, que satisfatórios e semelhantes resultados podem ser produzidos pela absorção do coração de não menos que três seres humanos com idade inferior a 21 anos. Para testar a veracidade dessa pesquisa, dediquei a maior parte dos últimos vinte anos selecionando como os corpora vilia *de meu experimento pessoas que poderiam ser convenientemente retiradas sem ocasionar uma lacuna perceptível na sociedade. A primeira etapa que promovi foi a remoção de Phoebe Stanley, uma garota de origem cigana, em 24 de março de 1792. A segunda, a remoção de um errante menino italiano, de nome Giovanni Paoli, na noite de 23 de março de 1805. A última "vítima" — para empregar uma palavra repugnante no mais alto grau aos meus sentimentos — deve ser meu primo, Stephen Elliott. Seu dia deve ser 24 de março de 1812. O melhor meio de efetuar a absorção necessária é remover o coração do indivíduo vivo, reduzi-lo a cinzas e misturá-lo com cerca de meio litro de vinho tinto, de preferência do Porto. Os restos dos dois primeiros indivíduos, ao menos, será conveniente ocultar: uma banheira ou adega em desuso bastarão para tal fim. Algum aborrecimento pode ser sentido na parte psíquica dos indivíduos, que a linguagem popular dignifica com o nome de fantasmas. Mas o homem de temperamento filosófico — apenas a este o experimento é apropriado — será pouco inclinado a dar importância aos frágeis esforços desses seres para exercer sua vingança sobre ele. Contemplo com a mais viva satisfação a existência ampliada e emancipada que a experiência, se bem-sucedida, conferirá a mim — não apenas me colocando fora do alcance da justiça humana (assim chamada), mas eliminando em grande parte a perspectiva da própria morte.*

Sr. Abney foi encontrado em sua cadeira, a cabeça jogada para trás e o rosto marcado por uma expressão de raiva, medo e dor mortal. Em seu lado esquerdo havia uma terrível ferida aberta, expondo o coração. Não havia sangue em suas mãos, e uma longa faca sobre a mesa estava perfeitamente limpa. Um gato selvagem da floresta pode ter realizado os ferimentos. A janela do escritório estava aberta, e a opinião do legista era que o Sr. Abney morrera por ação de alguma criatura selvagem. No entanto, o estudo de Stephen Elliott sobre os artigos que citei levou-o a uma conclusão muito diferente.

O senhor Abney foi encontrado em sua cadeira, a cabeça jogada para trás.
(Simon Harmon Vedder)

O MEZZOTINT[6]

Há algum tempo, creio ter tido o prazer de contar a vocês a história de uma aventura que ocorreu com um amigo meu de nome Dennistoun durante sua busca por objetos de arte para o museu de Cambridge.

Ele não publicou amplamente suas experiências ao retornar à Inglaterra, mas não podiam deixar de ser conhecidas por muitos de seus amigos, por outros conhecidos e pelo senhor que na época presidia um museu de arte noutra universidade. Era de se esperar que a história causasse uma impressão considerável na mente de um homem, cuja vocação estava em linhas semelhantes às de Dennistoun, e que ele estivesse ansioso para entender qualquer explicação do assunto que tendesse a tornar improvável que ele fosse chamado para lidar com tão agitada emergência. De fato, foi-lhe um tanto consolador refletir que não era esperado que

---

6. N.T.: Mezzotint é um processo de impressão da família de entalhe, usando um método de ponta seca. Foi o primeiro método tonal a ser usado, permitindo que meios-tons fossem produzidos sem o uso de técnicas baseadas em linhas ou pontos, como hachura, hachura cruzada ou pontilhado.

ele adquirisse antigos manuscritos para sua instituição; esse era o negócio da Biblioteca Shelburnian. As autoridades daquele país poderiam, se desejassem, vasculhar os cantos obscuros do continente em busca de tais artefatos. Ele estava satisfeito por ser obrigado, no momento, a limitar sua atenção ao aumento da coleção já insuperável de desenhos topográficos e gravuras britânicas em seu museu. No entanto, como notou, até mesmo um departamento tão amigável e familiar como esse pode ter seus cantos sombrios, e a um deles o Sr. Williams foi inesperadamente apresentado.

Aqueles que tiveram o mais limitado interesse na aquisição de imagens topográficas sabem que há um negociante de Londres cujo auxílio é indispensável para suas pesquisas. O Sr. J. W. Britnell publica, em curtos intervalos, catálogos muito admiráveis de um estoque grande e em constante mudança de gravuras, plantas e antigos esboços de mansões, igrejas e cidades na Inglaterra e no País de Gales. Esses catálogos eram, é claro, o abecê do próprio tema para o Sr. Williams: mas, como seu museu já continha um enorme acúmulo de imagens topográficas, ele era, em vez de abundante, um comprador regular. E ele preferia contar com o Sr. Britnell para preencher lacunas na base e nos arquivos de sua coleção a supri-lo com raridades.

Então, em fevereiro do ano passado, apareceu no gabinete do Sr. Williams, no museu, um catálogo do empório do Sr. Britnell, acompanhado de uma comunicação datilografada pelo próprio negociante. Essa carta apresentava-se da seguinte forma:

Caro senhor,

Gostaríamos de chamar sua atenção para o n.º 978 do catálogo que acompanha, o qual nós teremos o maior prazer em enviar mediante aprovação.

Atenciosamente,
J. W. BRITNELL.

Ir até o n.º 978 no catálogo que acompanhava era, para o Sr. Williams (como ele mesmo observou), o trabalho do momento, e no local indicado encontrou a seguinte entrada:

> 978 — *Desconhecido*. Gravura interessante: Vista de uma casa senhorial, início do século. 15 por 10 polegadas; moldura preta. £ 22*s*.

Não era especialmente empolgante, e o preço parecia alto. No entanto, como o Sr. Britnell, que conhecia o seu negócio e o seu cliente, parecia apreciá-lo, o Sr. Williams escreveu uma carta pedindo que o artigo fosse enviado após aprovação juntamente com algumas outras gravuras e esboços que constavam do mesmo catálogo. E assim ele passou sem muita expectativa para os trabalhos normais do dia.

Um pacote de qualquer tipo chega sempre um dia mais tarde do que é esperado, e o do Sr. Britnell não foi, como diz a expressão, nenhuma exceção à regra. A encomenda foi entregue no museu durante a tarde de sábado, depois que o Sr. Williams havia deixado seu trabalho, e, portanto, foi trazida para seus escritórios na faculdade pelo atendente, a fim de que ele não tivesse de esperar o domingo antes de observar e devolver o conteúdo que não estivesse disposto a manter. E aqui ele a encontrou ao entrar para o chá com um amigo.

O único item com o qual estou preocupado é a gravura demasiado grande, com moldura preta, cuja breve descrição fornecida pelo catálogo do Sr. Britnell eu já citei. Será necessário fornecer mais alguns detalhes, embora eu não possa esperar apresentar a aparência da imagem tão clara quanto se apresenta aos meus próprios olhos. Uma reprodução exata muito semelhante a ela pode ser vista em muitas estalagens antigas ou nas passagens de mansões de campo intactas até hoje. Era uma gravura bastante indiferente, e uma gravura indiferente é, talvez, a pior forma de gravura conhecida. Apresentava uma vista frontal de uma não muito grande casa senhorial do século passado, com três enfileiradas janelas de caixilhos lisos com alvenaria rústica ao redor, um parapeito com esferas ou vasos nos ângulos e um pequeno pórtico ao centro. Em cada um dos lados havia árvores e, na frente, uma extensão considerável de gramado. A legenda "A.W. F. sculpsit" foi marcada na margem estreita, e não havia nenhuma inscrição adicional. O conjunto deu a impressão de ser o trabalho de um amador. Que diabos o Sr. Britnell pretendia fixando o preço de £ 22s. em tal objeto era mais do que o Sr. Williams poderia imaginar. Ele virou-a com uma boa dose de desprezo; no verso havia uma etiqueta de papel, cuja metade esquerda havia sido arrancada. Tudo o que restou foram os fins de duas linhas de escrita: a primeira continha os dizeres *Mansão –ngley*; a segunda, *-ssex*.

Talvez valesse a pena identificar o lugar representado, o que ele facilmente faria com a ajuda de um dicionário geográfico, e, então, o devolveria ao senhor Britnell com algumas observações que refletiam o julgamento daquele cavalheiro.

Ele acendeu as velas, pois já estava escuro, preparou o chá e juntou-se ao amigo com quem havia jogado golfe (pois creio que as autoridades da universidade sobre a qual escrevo permitem-se tal relaxamento). E o chá foi levado para o acompanhamento de uma discussão que os jogadores de golfe podem imaginar por si mesmos, a qual, no entanto, o cuidadoso escritor não tem o direito de infligir a ninguém que não seja jogador de golfe.

A conclusão a que se chegou foi que certos movimentos poderiam ter sido melhores e que, em certas emergências, nenhum dos jogadores experimentou aquela quantidade de sorte que um ser humano tem o direito de esperar. Foi então que o amigo — vamos chamá-lo de Professor Binks — pegou a gravura emoldurada e perguntou:

— Que lugar é esse, Williams?

— É exatamente o que tentarei descobrir — disse Williams, indo até a estante para pegar um dicionário geográfico. — Olhe a parte de trás. Mansão alguma-coisa-*ngley*, em Sussex ou Essex. Falta metade do nome, como você pode ver. Você não sabe disso, presumo?

— Suponho que seja daquele homem, Britnell, não é? — disse Binks. — É para o museu?

— Bem, acho que poderia comprá-lo se o preço fosse cinco xelins — disse Williams —, mas, por alguma razão sobrenatural, ele quer dois guinéus por ele. Não consigo imaginar o motivo. É uma gravura desprezível e não há nem mesmo figuras que lhe deem vida.

— Acho que não vale dois guinéus — disse Binks —, mas não creio que seja tão malfeita. O luar parece muito bom para mim, e eu poderia pensar que *havia* figuras, ou pelo menos uma figura, logo na parte da frente.

— Vamos ver — disse Williams. — Bem, é verdade que a luz foi dada de maneira bastante talentosa. Onde está sua figura? Ah, sim! Só a cabeça, bem na frente da foto.

E de fato havia — pouco mais que uma mancha preta na borda extrema da gravura — a cabeça de um homem ou de uma mulher, bastante borrada, de costas para o espectador, olhando para a casa.

Williams não havia notado isso antes.

— Mesmo assim — disse ele —, embora seja uma coisa mais inteligente do que pensava, não posso gastar dois guinéus do dinheiro do museu na foto de um lugar que não conheço.

O professor Binks tinha seu trabalho que fazer e logo partiu. Quase no momento da Mansão, Williams estava empenhado em uma vã tentativa de identificar o modelo de sua imagem e pensou:

— Se a vogal anterior ao *ng* tivesse apenas sido deixada, teria sido fácil, mas, como está, o nome pode ser qualquer coisa de Guestingley a Langley, e há muito mais nomes terminando assim do que eu pensava. E este livro péssimo não tem índice de terminações.

O encontro na faculdade do Sr. Williams era às sete. Não precisa ser demorado, tanto menos quando conheceu seus colegas que jogaram golfe durante a tarde, e palavras com as quais não temos preocupação foram livremente jogadas sobre a mesa — meras palavras de golfe, apresso-me a explicar.

Suponho que uma hora ou mais tenha sido gasta no que é chamado de sala comum após o jantar. Mais tarde, naquela noite, alguns poucos se retiraram para os quartos de Williams, e não tenho dúvidas de que se jogava *whist* e fumava-se tabaco. Durante uma pausa nessas operações, Williams pegou a gravura da mesa sem olhá-la e entregou-a a uma pessoa ligeiramente interessada em arte, dizendo-lhe de onde tinha vindo e os outros detalhes que já sabemos.

O cavalheiro pegou-a descuidadamente, olhou para ela e disse em tom de certo interesse:

— É realmente um trabalho muito bom, Williams; tem um pouco do sentimento do período romântico. A luz é administrada admiravelmente, parece-me, e a figura, embora seja grotesca demais, é de alguma forma muito impressionante.

— Sim, não é? — disse Williams, que estava ocupado dando uísque e refrigerante para outras pessoas que o acompanhavam e não conseguiu atravessar a sala para olhar a paisagem novamente.

Já era tarde da noite, e os visitantes estavam em movimento. Depois que eles partiram, Williams foi obrigado a escrever uma ou duas cartas e esclarecer alguns trechos obscuros do trabalho. Por fim, algum tempo depois da meia-noite, ele estava disposto a se deitar e apagou a lâmpada depois de acender a vela do quarto. A imagem estava voltada para cima, na mesa, onde o último homem que a viu a colocara, e ela chamou sua atenção no apagar da lâmpada. O que viu quase o fez deixar cair a vela no chão, e ele declara agora que, se tivesse ficado no escuro naquele momento, teria sofrido um colapso. Mas, como isso não aconteceu, ele foi capaz de colocar a luz sobre a mesa e dar uma boa olhada na imagem. Era indubitável — francamente impossível, sem dúvida, mas absolutamente certo. No meio do gramado, em frente à casa desconhecida, havia uma figura onde nenhuma figura estivera até às cinco horas daquela tarde. Ela rastejava de quatro em direção à casa e estava coberta por uma estranha vestimenta preta com uma cruz branca nas costas.

Não sei qual é o caminho ideal para seguir em uma situação dessa natureza. Posso apenas dizer o que o Sr. Williams fez. Ele pegou a imagem por um canto e carregou-a pelo corredor até um segundo conjunto de salas que possuía. Lá, ele trancou-a numa gaveta, trancou as portas dos dois conjuntos de quartos e retirou-se para a cama. Antes, no entanto, escreveu e assinou um relato da extraordinária mudança pela qual a imagem havia passado desde que viera à sua posse.

Pegou no sono bem tarde, mas foi consolador refletir que o comportamento da imagem não dependia de seu próprio testemunho infundado. Evidentemente, o homem que a vira na noite anterior tinha visto algo do mesmo tipo que ele, caso contrário poderia ter ficado tentado a pensar que algo gravemente errado acontecia com seus olhos ou com sua mente. Felizmente excluída tal possibilidade, dois assuntos o aguardavam no dia seguinte. Ele devia fazer um balanço da imagem com muito cuidado, chamar uma testemunha para a proposta e fazer um intenso esforço para determinar qual casa havia sido representada. Ele, portanto, pediria a seu vizinho Nisbet que tomasse o café da manhã com ele e, na sequência, passaria uma manhã metido com o dicionário geográfico.

Nisbet estava desinteressado e chegou por volta das nove e meia. Seu anfitrião não estava bem vestido, lamento dizer, mesmo a essa hora tardia. Durante o café da manhã, nada foi dito sobre a gravura por Williams, exceto que ele tinha uma imagem da qual desejava a opinião de Nisbet. Mas aqueles que estão familiarizados com a vida universitária podem imaginar por si mesmos a ampla e agradável gama de assuntos sobre os quais a conversa de dois colegas do Canterbury College provavelmente se estenderia durante um café da manhã de domingo. Quase nenhum assunto foi esquecido, do golfe ao tênis. No entanto, devo dizer que Williams ficou bastante ansioso, pois o seu interesse centrava-se naturalmente naquela imagem muito estranha que agora repousava virada para baixo na gaveta da sala adiante.

O cachimbo da manhã foi finalmente aceso, e chegou o momento que ele procurava. Com uma excitação muito considerável — quase trêmula — ele correu, destrancou a gaveta e, extraindo a imagem — ainda virada para baixo —, correu de volta, colocou-a nas mãos de Nisbet e disse:

— Agora quero que me diga, Nisbet, exatamente o que vê nessa imagem. Descreva-a, se não se importar, minuciosamente. Digo-lhe depois o porquê.

— Bem — disse Nisbet —, tenho aqui a vista de uma casa de campo, britânica, presumo, ao luar.

— Luar? Você tem certeza disso?

— Certamente. A lua parece estar minguante, se quiser detalhes, e há nuvens no céu.

— Certo. Continue. Eu juro que não havia luar quando a vi pela primeira vez — acrescentou Williams em uma digressão.

— Bem, não há muito mais a ser dito — continuou Nisbet. — A casa tem uma, duas, três fileiras de janelas, cinco em cada fila, exceto na parte inferior, onde há uma varanda em vez daquela ao meio, e…

— Mas e quanto às figuras? — disse Williams, com notável interesse.

— Não há nenhuma — disse Nisbet —, mas...

— O quê? Nenhuma figura no gramado da frente?

— Nenhuma.

— Você está certo disso?

— Certamente estou. Mas há apenas mais uma outra coisa.

— O quê?

— Ora, uma das janelas do andar térreo, à esquerda da porta, está aberta.

— A sério? Minha nossa! Ele deve ter entrado! — disse Williams com grande entusiasmo; correu para o encosto do sofá em que Nisbet estava sentado e, pegando a imagem dele, verificou a questão por si mesmo.

Era verdade. Não havia figura alguma, e a janela estava aberta. Williams, após um momento de surpresa muda, foi até a escrivaninha e rabiscou por um curto período de tempo. Em seguida, trouxe dois papéis para Nisbet e pediu-lhe primeiro que assinasse um — era sua própria descrição da foto, que você acabou de ouvir — e depois lesse o outro, que era a declaração de Williams, escrita na noite anterior.

— Que pode ser tudo isso? — perguntou Nisbet.

— Exatamente. Bem, devo fazer uma coisa... ou três coisas, agora que penso nisso — disse Williams. — Devo indagar de Garwood — esse era o visitante da noite anterior — o que ele viu, e então devo fotografar a coisa antes que vá mais longe e, então, devo descobrir que lugar é.

— Eu mesmo posso fotografar — disse Nisbet — e farei isso. Mas, você sabe, parece que estávamos ajudando a resolver uma tragédia em algum lugar. A questão é: isso já aconteceu ou está prestes a acontecer? Você deve descobrir qual é esse lugar. Sim... — disse olhando para a foto novamente. — Suponho que você esteja certo: ele entrou. E, se eu não me engano, será uma confusão danada num dos quartos do andar de cima.

— É o seguinte — disse Williams. — Vou levar a imagem ao velho Green. — Esse tinha o mais alto cargo acadêmico na universidade e fora tesoureiro por muitos anos. — É bem provável que ele saiba. Temos propriedades em Essex e Sussex, e ele deve ter passado muito tempo nos dois condados.

— É bem provável que sim — respondeu Nisbet —, mas deixe-me tirar minha fotografia primeiro. Mas veja, eu acho que Green não está aqui hoje. Ele não estava no encontro ontem à noite, e acho que o ouvi dizer que passaria o domingo fora.

— Isso é verdade — concordou Williams. — Eu sei que ele foi para Brighton. Bem, se você fotografar agora, irei até Garwood e pegarei o depoimento dele. E você fica de olho nela enquanto eu estiver fora. Estou começando a pensar que dois guinéus não é um preço muito exorbitante por isso agora.

Em pouco tempo ele voltou e trouxe o Sr. Garwood consigo. A declaração de Garwood foi no sentido de que a figura, quando ele a vira, estava longe da borda da imagem, mas não tinha atravessado muito o gramado. Ele se lembrou de uma marca branca na parte de trás de sua veste, mas não podia ter certeza se era uma cruz. Um documento nesse sentido foi então elaborado e assinado, e Nisbet começou a fotografar a imagem.

— Agora, o que você pretende fazer? — perguntou ele. — Vai sentar-se e observá-la o dia todo?

— Bem, não, acho que não — respondeu Williams. — Prefiro pensar que devemos ver a coisa integralmente. Olhe só, entre a hora que eu vi ontem à noite e esta manhã, houve tempo para muitas coisas acontecerem, mas a criatura apenas entrou na casa. Ela poderia facilmente ter terminado seus negócios naquele momento e ter ido para seu próprio lugar novamente, mas o fato de a janela estar aberta, eu acho, deve significar que ela está lá agora. Portanto, sinto-me bastante à vontade para deixá-la. E, além disso, tenho uma espécie de ideia de que não mudaria muito, se é que mudaria, durante o dia. Podemos sair para uma caminhada esta tarde e entrar para o chá, ou quando anoitecer. Vou deixá-la em cima da mesa aqui e trancar a porta. Meu empregado pode entrar, porém ninguém mais.

Os três concordaram que esse seria um bom plano. Além disso, se passassem a tarde juntos, seria menos provável que falassem sobre o negócio com outras pessoas, já que qualquer rumor de tal transação que estivesse ocorrendo atrairia toda a Sociedade de Estudos Sobrenaturais até eles.

Podemos dar-lhes um descanso até às cinco horas.

Quase nessa hora, os três estavam entrando na escadaria de Williams. Em princípio, eles ficaram um pouco incomodados ao ver que a porta de seus aposentos não estava trancada, mas logo foram lembrados de que, no domingo, os empregados chegavam para pedidos uma hora mais cedo do que nos dias de semana. No entanto, uma surpresa os esperava. A primeira coisa que viram foi a imagem encostada em uma pilha de livros sobre a mesa, como havia sido deixada, e, a seguir, foi o empregado de Williams, sentado em uma cadeira do lado oposto, olhando para ela com indisfarçável horror. Como era possível? O Sr. Filcher[7] (o nome não é invenção minha) era um criado de posição considerável e estabelecera o padrão de etiqueta para toda a faculdade e várias outras vizinhas; nada poderia ser mais estranho à sua prática do que ser encontrado sentado na cadeira de seu mestre ou parecendo dar qualquer atenção particular aos móveis ou imagens de seu mestre. Na verdade, ele mesmo parecia sentir isso. Ele estremeceu violentamente quando os três homens entraram na sala e levantou-se com um notável esforço. Então disse: — Peço seu perdão, senhor, por ter tomado a liberdade de sentar-me.

— Não há problema, Robert — interveio o Sr. Williams. — Gostaria de perguntar há algum tempo o que achou daquela imagem.

— Bem, senhor, é claro que não colocarei minha opinião contra a sua, mas não é uma imagem que eu colocaria onde minha garotinha pudesse vê-la, senhor.

— Não, Robert? Por que não?

— Não, senhor. Ora, a pobre criança, lembro-me de certa vez em que ela viu uma Bíblia de porta, com fotos que não chegavam perto dessa, e nós tivemos de ficar com ela três ou quatro noites depois, o senhor acredita? E, se ela visse esse cadáver aqui, ou seja lá o que for, carregando o pobre bebê, ela ficaria desesperada. O senhor sabe como são as crianças, como ficam nervosas com uma coisinha de nada. Mas o que devo dizer? Não me parece uma imagem adequada para pendurar, senhor, não onde alguém que se assuste tão fácil possa vê-la. Deseja algo para esta noite, senhor? Obrigado, senhor.

---
7. N.T.: Em inglês, "ladrão".

Com essas palavras, o excelente homem foi continuar a jornada de seus mestres, e você pode ter certeza de que os cavalheiros que ele deixou não perderam tempo em se reunir ao redor da gravura. Lá estava a casa, como antes, sob a lua minguante e as nuvens que vagavam. A janela que havia sido aberta fora fechada, e a figura estava mais uma vez no gramado, mas desta vez não rastejando cautelosamente sobre as mãos e joelhos. Agora estava de pé e avançando rapidamente, com passadas largas, em direção à frente da imagem. A lua estava atrás dela, e o pano preto pendurava-se sobre sua face de modo que apenas alguns indícios dela podiam ser vistos, e o que era visível deixou os espectadores profundamente gratos por não poderem ver mais do que uma testa branca arredondada e alguns desgrenhados fios de cabelo. A cabeça estava inclinada para baixo, e os braços estavam firmemente agarrados a um objeto que mal podia ser visto e identificado como uma criança; se viva, se morta, não era possível dizer. Apenas as pernas da aparição podiam ser claramente discernidas e eram terrivelmente magras.

Das cinco às sete, os três companheiros sentaram-se e observaram alternadamente a imagem. Mas ela nunca mudava. Por fim, concordaram que seria seguro deixá-la, que voltariam depois do encontro no salão e aguardariam maiores desdobramentos.

Quando se reuniram novamente, no primeiro momento possível, a gravura estava lá, mas a figura havia sumido e a casa estava silenciosa sob os raios de lua. Não havia nada a fazer a não ser passar a noite lendo dicionários e guias de viagem. Williams finalmente teve sorte, e talvez ele merecesse. Às onze e meia, ele leu no *Guia de Essex* de Murray os seguintes dizeres:

16 milhas e meia, Anningley. A igreja foi um edifício interessante de data normanda, mas foi consideravelmente tornada clássica no século passado. Ela contém os túmulos da família de Francis, cuja mansão, Mansão Anningley, uma sólida casa da Rainha Anna, fica logo atrás do cemitério da igreja em um parque com cerca de 80 acres. A família agora está extinta, o último herdeiro desapareceu misteriosamente na infância no ano de 1802. O pai, Sr. Arthur Francis, era conhecido localmente como um talentoso artista amador de gravuras em metal. Após o desaparecimento do filho, viveu em completo retiro na Mansão e foi encontrado morto em seu estúdio no terceiro aniversário do desastre, tendo acabado de completar uma gravura da casa, cujas impressões são de considerável raridade.

Isso parecia coisa séria, e, de fato, o Sr. Green, ao voltar, identificou imediatamente a casa como a Mansão Anningley.

— Existe algum tipo de explicação para a figura, Green? — foi naturalmente a pergunta que fez Williams.

— Não sei, tenho certeza, Williams. O que costumava ser dito no local quando eu o conheci, que foi antes de vir para cá, era apenas o seguinte: o velho Francis sempre fora muito ruim com esses furtivos caçadores e, sempre que tinha uma chance, costumava pegar um homem de quem ele suspeitava e o afastava da propriedade, e, aos poucos, livrou-se de todos menos um. Naquela época, os senhores de terras podiam fazer muitas coisas que hoje nem sequer se imaginam. Bem, esse homem que sobrou é o que você encontra com frequência naquele local — os últimos vestígios de uma família muito antiga. Eu acredito que eles tenham sido senhores feudais em um tempo. Recordo exatamente a mesma coisa em minha própria paróquia.

— O quê, como o homem em *Tess dos D'Urbervilles*? — perguntou Williams.

— Sim, ouso dizer; não é um livro que eu pudesse ler sozinho. Mas esse sujeito podia mostrar uma fileira de tumbas na igreja ali que pertenciam a seus ancestrais, e tudo isso o amargurou um pouco. No entanto, Francis, segundo diziam, nunca poderia atingi-lo — ele sempre se mantinha do lado certo da lei —, até que uma noite os guardiões o encontraram em um bosque bem no final da propriedade. Eu poderia mostrar o lugar agora, é próximo a um terreno que pertenceu a um tio meu. E você pode imaginar que houve uma briga, e esse homem Gawdy (esse era o nome, com certeza — Gawdy, achei que deveria entender — Gawdy), ele teve o azar, pobre rapaz, de atirar em um guarda. Bem, era isso que Francis queria, bem como os jurados — você sabe como eles eram naquela época —, e o pobre Gawdy foi amarrado sem demora; mostraram-me o lugar em que ele foi enterrado, no lado norte da igreja — você conhece o caminho naquela parte do mundo: qualquer um que foi enforcado ou levado por si mesmo, eles enterram naquele lado. E a ideia era que algum amigo de Gawdy — não um parente, porque ele não tinha nenhum, pobre diabo; ele era o último de sua linhagem: uma espécie de *spes ultima gentis* — devia ter planejado pegar o filho de Francis e acabar com a linhagem *dele* também. Eu não sei — é uma coisa bastante remota para um caçador de Essex pensar —, mas, você sabe, eu deveria dizer agora que parece mais como se o velho Gawdy tivesse administrado o trabalho sozinho. Uau! Eu odeio pensar nisso! Preciso de um pouco de uísque, Williams!

Os fatos foram comunicados por Williams a Dennistoun e, por ele, a uma companhia mista, da qual eu era um e o Professor Saduceu de Ofiologia o outro. Lamento dizer que este último, quando questionado sobre o que pensava disso, apenas tenha comentado:

— Oh, aquele pessoal de Bridgeford dirá qualquer coisa. — Um sentimento que teve a recepção que merecia.

Devo apenas acrescentar que a imagem está agora no Museu Ashleian e foi tratada com o objetivo de descobrir qual tinta desconhecida fora usada nela, mas sem efeito. O Sr. Brimell nada sabia sobre ela, exceto que tinha certeza de que era incomum e que, embora cuidadosamente observada, jamais pareceu mudar outra vez.

O FREIXO

Todos os que viajaram pelo leste da Inglaterra conhecem as menores casas de campo que o permeiam. Os edifícios pequenos e úmidos, geralmente em estilo italiano, cercados por parques de oitenta a cem acres. Esses, sobre mim, tiveram sempre uma atração muito forte: com o cinza pálido do rachado carvalho, as nobres árvores, as lagoas com suas inundações e a marcação das distantes madeiras. Então, gosto do pórtico com pilares, talvez fixado em uma casa de tijolos vermelhos da Rainha Anne que seja vista com reboco para evidenciar a linha do gosto "grego" do fim do século XVIII; bem como o interior da mansão, seguindo até o telhado, mansão que era sempre dotada de uma galeria e de um pequeno órgão. Gosto da biblioteca também, onde é possível encontrar qualquer coisa, de um Saltério do século XIII a um manuscrito de Shakespeare. Eu gosto das imagens, naturalmente, e talvez, principalmente, goste de imaginar como era a vida em tal casa quando foi construída pela primeira vez e a prosperidade dos proprietários tranquilos naquelas épocas. E não menos agora, quando, se o dinheiro não for assim abundante, o sabor é mais variado e a vida é completamente interessante. Desejo ter uma dessas casas e bastante dinheiro para mantê-la e, nela, entreter meus amigos modestamente.

Mas isso é uma digressão. Devo contar uma curiosa série de eventos que ocorreu na casa que tentei descrever. É a Mansão Castringham, em Suffolk. Creio que fora feito um bom negócio ao edifício desde o período de minha história, mas as características essenciais que esbocei ainda estão lá — o pórtico italiano, o bloco do quadrado da casa branca, um interior mais velho do que o exterior, um parque simples e marcado por árvores. A única característica que diferenciava a casa das demais se foi. Ao observá-la do parque, era possível ver à direita um velho e grande freixo que crescia dentro da metade de uma dúzia de jardas da propriedade que quase, ou completamente, tocava a construção com seus galhos. Suponho que tenha estado lá sempre desde que Castringham deixara de ser um lugar fortificado, desde que o fosso fora coberto e a moradia rústica elisabetana fora construída. De qualquer forma, quase atingiu suas dimensões completas no ano 1690.

Naquele ano, o distrito em que a Mansão estava situada era a cena de certo número de julgamentos de bruxas. Demorará, creio, antes que seja possível chegar a uma estimativa justa da quantidade de razão sólida — se havia alguma — que estava na raiz do medo universal das bruxas nos velhos tempos. Se as pessoas acusadas dessa ofensa realmente imaginaram que possuíam poderes incomuns de qualquer natureza, ou se tivessem a vontade ao menos, senão o poder, de fazer o mal a seus vizinhos, ou se todas as confissões, há muitas assim, foram extorquidas pela mera crueldade dos caçadores de bruxas — essas são as questões, imagino, que não estão resolvidas ainda. E a presente narrativa me faz duvidar. Não posso completamente afastá-la como mera invenção. O leitor deve julgar por si mesmo.

Castringham contribuiu ao *auto-da-fé* com uma vítima. Sra. Mothersole era seu nome, e ela se diferenciava do comportamento ordinário das bruxas da cidade somente por ser melhor e por estar em uma posição mais influenciadora. Esforços para salvá-la foram empregados por diversos fazendeiros respeitáveis da vizinhança. Fizeram seu melhor para testemunhar-lhe o caráter e mostraram considerável ansiedade a respeito do julgamento do conselho.

Mas o que parece ter sido fatal à mulher era a evidência do então proprietário da Mansão Castringham, Sir Matthew Fell. Ele declarou tê-la observado em três ocasiões diferentes de sua janela, na lua cheia, recolhendo ramos:

— Do freixo próximo de minha casa.

Ela tinha escalado os galhos, vista somente por seu movimento, e estava cortando pequenos gravetos com uma peculiar faca curvada, e, assim, parecia estar falando consigo mesma. Em cada ocasião, Sir Matthew fez o possível para capturar a mulher, mas ela sempre se assustava com algum barulho acidental que ele fazia, e tudo o que ele conseguia ver ao descer para o jardim era uma lebre correndo pelo parque na direção da cidade.

Na terceira noite, ele se esforçou para segui-la em sua maior velocidade e foi direto para a casa da Sra. Mothersole, mas acabou obrigado a esperar quinze minutos batendo à sua porta, e só então ela saiu muito zangada e aparentemente com muito sono, como se tivesse acabado de sair da cama. E ele não possuía nenhuma boa explicação para oferecer a respeito de sua visita.

Principalmente com base nessa evidência, embora houvesse um comportamento muito menos surpreendente e incomum do que o dos demais proprietários, a Sra. Mothersole foi considerada culpada e condenada à morte. Ela foi enforcada uma semana depois do julgamento, com mais cinco ou seis criaturas infelizes, em Bury St. Edmunds.

Sir Matthew Fell, então vice-xerife, esteve presente na execução. Era uma manhã úmida e chuvosa de março quando a carroça subiu a colina de grama áspera fora de Northgate, onde ficava a forca. As outras vítimas estavam apáticas ou diaceradas pela miséria, mas a Sra. Mothersole era, como em vida e também na morte, alguém de um temperamento muito diferente. Diz um repórter da época:

— Sua venenosa raiva agia tanto sobre os espectadores — sim, até mesmo sobre o carrasco —, que todos os que a viam afirmavam que ela apresentava o aspecto vivo de uma raiva divina. Ela, porém, não ofereceu resistência aos oficiais da lei, apenas olhou para aqueles que colocaram as mãos sobre ela com um aspecto tão horrível e venenoso, que, como um deles depois me assegurou, o mais simples pensamento dominou sua mente pelos seis meses seguintes.

No entanto, tudo o que ela disse foram as palavras aparentemente sem sentido:

— Haverá convidados na Mansão. — O que ela repetiu mais de uma vez em voz baixa.

Sir Matthew Fell não deixou de ficar impressionado com o comportamento da mulher. Ele teve alguma conversa sobre o assunto com o vigário de sua paróquia, com quem voltou para casa depois que a questão do julgamento havia acabado. Sua evidência no julgamento não tinha sido dada muito voluntariamente, mas ele não estava especialmente infectado com a mania de caça às bruxas. Declarou, no entanto, na época e depois, que não foi capaz de dar nenhum outro relato do assunto além daquele que havia dado, e que não se poderia ter enganado quanto ao que viu. Toda a situação tinha sido repugnante para ele, pois era um homem que gostava de tratar agradavelmente aqueles diante de si, mas ele viu um dever a ser feito nesse assunto, então o cumpriu. Essa parece ter sido a essência de seus sentimentos, e o vigário a aplaudiu, como qualquer homem razoável deve ter feito.

Algumas semanas depois, quando a lua de maio estava cheia, o vigário e o escudeiro encontraram-se novamente no parque e caminharam juntos para a Mansão. A Sra. Fell estava com sua mãe, que se encontrava seriamente doente, e Sir Matthew estava sozinho em casa. Assim o vigário, Sr. Crome, foi facilmente persuadido a fazer uma ceia tardia na Mansão.

Sir Matthew não foi muito boa companhia para aquela noite. A conversa correu principalmente sobre assuntos familiares e paroquiais e, por sorte, Sir Matthew fez um memorando por escrito de certos desejos ou intenções dele em relação às suas propriedades, que depois se mostraram extremamente úteis.

Quando Sr. Crome pensou em começar a ir para casa, por volta das nove horas, Sir Matthew e ele tomaram uma direção prévia no passeio de cascalho nos fundos da casa. O único incidente que atingiu Sr. Crome foi este: eles estavam à vista do freixo que descrevi como aquele que crescia próximo das janelas da construção, quando Sir Matthew parou e disse:

— O que é que corre para cima e para baixo no tronco da árvore? Não pode ser um esquilo? Eles já devem estar em suas casinhas agora.

O vigário olhou e viu a criatura em movimento, mas não podia distinguir nada de sua cor sob a luz da lua. O acentuado contorno, no entanto, visto por um instante, foi impresso em seu cérebro, e ele poderia ter jurado, segundo disse, embora soasse tolo, que, esquilo ou não, tinha mais de quatro patas.

Ainda assim, não havia muito que ser feito com a visão momentânea, e os dois homens se separaram. Eles podem ter se encontrado desde então, mas isso não aconteceu durante vários anos.

No dia seguinte, Sir Matthew Fell não estava no andar de baixo às seis da manhã, como era seu costume, nem às sete, nem mesmo às oito. Depois disso, os criados foram e bateram à porta de seu quarto. Não preciso prolongar a descrição de suas escutas ansiosas e de suas batidas insistentes. A porta foi finalmente aberta pelo lado de fora, e eles encontraram seu mestre morto e preto. Exatamente o que era de se esperar. Ali não havia nenhuma marca aparente de violência naquele momento, mas a janela estava aberta.

Um dos homens foi buscar o pároco e então, por suas instruções, veio para chamar o legista. O próprio Sr. Crome foi o mais rápido possível para a Mansão e foi levado para o aposento em que estava o homem morto. Ele deixou algumas anotações entre seus trabalhos que mostram o quão genuínos eram o respeito e a tristeza sentidos com relação a Sir Matthew, e há também esta passagem, que transcrevo graças à luz que emite sobre o curso dos acontecimentos e, também, sobre as crenças comuns da época:

Não havia o menor traço de que uma entrada tenha sido forçada para o quarto: mas a janela ficou aberta, como meu pobre amigo sempre teria deixado nesta estação. Ele bebeu sua cerveja naquela tarde em uma caneca de prata de cerca de uma medida, e naquela noite não havia bebido fora.

Esta bebida foi examinada pelo médico de Bury, um Sr. Hodgkins, que não pôde, no entanto, como depois declarou em seu juramento antes da busca do legista, descobrir a presença de elemento venenoso algum. Pois, como era natural, no grande inchaço e escuridão do cadáver, houve conversa feita entre os vizinhos sobre veneno.

O corpo estava muito desordenado enquanto estava na cama, sendo virado depois de um modo tão extremo que dava a impressão muito provável de que meu digno amigo e patrono morrera em grande dor e agonia. E o que ainda é inexplicável, e para mim o argumento de algum projeto horrível e astuto nos perpetradores deste bárbaro assassino, foi: as mulheres que foram confiadas para arrumar o cadáver e lavá-lo, sendo pessoas tristes e muito bem respeitadas em sua mórbida profissão, vieram até mim em grande dor e angústia, tanto da mente quanto do corpo, dizendo, o que foi de fato confirmado na primeira análise, que mais cedo elas não haviam tocado o peito do cadáver com as mãos nuas, que elas eram sensíveis a algo mais do que comum, violento, grande e dolorido em suas palmas das mãos e que, com seus inteiros antebraços, em pouco tempo incharam tão imoderadamente, a dor ainda continuava e que, como depois provaram, durante muitas semanas, elas foram forçadas a colocar pelo exercício de sua vocação, mas ainda nenhuma marca podia ser vista na pele.

Ao ouvir isso, enviei para o médico, que ainda estava na casa, e fizemos uma prova tão cuidadosa quanto pudemos com a ajuda de uma pequena lente de lupa de cristal da condição da pele nesta parte do corpo: mas não conseguimos detectar com o instrumento que tínhamos matéria alguma de importância além de um par de pequenas perfurações ou picadas, que então concluímos foram os pontos pelos quais o veneno poderia ter sido introduzido, lembrando aquele anel de Papa Borgia, com outros espécimes conhecidos da horrível arte dos venenos italianos da última era.

Muito pode ser dito sobre os sintomas vistos no cadáver. Quanto ao que devo acrescentar, é apenas minha própria experiência e será deixada à posteridade para julgar se há algo de valor nela. Havia na mesa ao lado uma Bíblia de tamanho pequeno, a qual meu amigo — pontual em assuntos menos momentâneos, mas neste mais intenso — usou todas as noites, e em sua primeira ascensão, para ler uma porção específica. E eu disse — não sem uma lágrima devidamente paga a ele que do estudo deste pobre esboço foi agora passado para a contemplação de sua grande origem — que me veio à mente, como em tais momentos de desamparo nos quais estamos propensos a captar qualquer vislumbre que prometa luz, a testar aquela antiga prática, considerada supersticiosa por muitos, de desenhar os Sortes: os quais o principal exemplo, no caso de sua falecida majestade sagrada, o abençoado mártir Rei Charles e meu Senhor Falkland, foi agora muito comentado.

Devo admitir que pelo meu julgamento não foi dada muita ajuda: no entanto, como a causa e a origem desses eventos terríveis podem ser pesquisadas, mostrando os resultados, nesse caso pode-se descobrir que eles apontaram o verdadeiro quarto do mal para uma inteligência mais rápida do que a minha própria.

Fiz, então, três ensaios, abrindo o livro e colocando meu dedo sobre certas palavras: que deram nas primeiras palavras, de Lucas 13, 7, "Corta-a"; no segundo, Isaías 13, 20, "Nunca mais será habitada"; e no terceiro experimento, Jó 39, 30, "E seus filhos chupam o sangue".

Isso é tudo o que precisa ser citado das anotações de Sr. Crome. Sir Matthew Fell foi devidamente colocado no caixão e sepultado na terra. Seu sermão fúnebre, pregado por Sr. Crome no domingo seguinte, foi nomeado sob o título de "O Caminho Inseparável", ou "O Perigo da Inglaterra e os Maliciosos Negócios do Anticristo", sendo a opinião do vigário, bem como a mais comumente realizada na vizinhança, que o escudeiro foi vítima de uma exasperação da Trama Papista.

Seu filho, Sir Matthew Segundo, sucedeu-o com o título e com as propriedades. E assim termina o primeiro ato da tragédia de Castringham. Deve-se mencionar, embora o fato não seja surpreendente, que o novo barão não ocupou o quarto em que seu pai havia morrido. Nem, de fato, havia alguém dormido ali, exceto um visitante ocasional durante toda a sua ocupação. Ele morreu em 1735, e não acho nada em particular que tenha marcado seu reinado, salvo uma mortalidade curiosamente constante entre seu gado e a pecuária em geral, o que mostrou ligeiramente uma tendência de aumento com o passar do tempo.

Aqueles que estiverem interessados nos detalhes encontrarão uma conta estatística em uma carta para a *Gentleman's Magazine* de 1772, que retira os fatos dos próprios documentos do barão. Ele finalmente pôs fim a isso com um expediente muito simples, o de colocar todos os seus animais em galpões à noite e não manter nenhuma ovelha em seu parque. Pois ele notara que nada havia sido atacado tendo passado a noite dentro de casa. Depois disso, a desordem limitou-se a pássaros selvagens e bestas predadoras. Mas, como não temos um bom relato das evidências, e como assistir à noite toda foi bastante improdutivo para qualquer pista, não me detenho sobre o que os camponeses de Suffolk chamaram de "doença de Castringham".

O segundo Sir Matthew morreu em 1735, como disse, e foi devidamente sucedido por seu filho, Sir Richard. Foi em seu tempo que o grande banco da família fora construído no lado norte da igreja paroquial. Eram tão grandes as ideias do escudeiro, que várias das sepulturas daquele lado não arado da propriedade deviam ser perturbadas para satisfazer suas exigências. Entre elas, estava a da Sra. Mothersole, a posição que era precisamente conhecida graças a uma nota sobre uma planta da igreja e do jardim, ambos feitos pelo Sr. Crome.

Certa quantidade de interesse foi aflorada na cidade quando se soube que a famosa bruxa, que ainda era lembrada por alguns, deveria ser exumada. E a sensação de surpresa, e de clara inquietação, foi muito intensa quando se descobriu que, embora seu caixão fosse bastante sólido e resistente, não havia nenhum traço dentro dele de corpo, ossos ou cinzas. Na verdade, é um fenômeno curioso, pois, na época de seu sepultamento, coisas como ressurreição dos homens não eram sonhadas, e é difícil conceber qualquer motivo racional para roubar um corpo de outra forma que não para os usos da sala de dissecação.

O incidente reviveu, por um tempo, todas as histórias de julgamentos de bruxas e das façanhas das bruxas, adormecidas por quarenta anos, e as ordens de Sir Richard para que o caixão fosse queimado foram pensadas por muitos como sendo bastante imprudentes, embora tenham sido devidamente realizadas.

Sir Richard era um inovador pestilento, é claro. Antes de sua época, a Mansão havia sido um bloco fino do rico tijolo vermelho, mas Sir Richard tinha viajado pela Itália e tinha se infectado com o sabor italiano, e, tendo mais dinheiro do que seus antecessores, decidiu deixar um palácio italiano onde havia uma casa britânica. Então reboco e pedra mascararam o tijolo, alguns mármores romanos indiferentes foram colocados no rol de entrada e nos jardins. Uma reprodução do templo do Sibyl em Tivoli foi erguida na margem oposta da paisagem, e Castringham assumiu um aspecto inteiramente novo e, devo dizer, um aspecto menos envolvente. Mas era muito admirada e serviu de modelo para muitos dos nobres vizinhos em anos posteriores.

Certa manhã (foi em 1754), Sir Richard acordou após uma noite de desconforto. Estava ventando, e sua chaminé soltava fumaça persistentemente, mas ainda assim fazia tanto frio, que ele teve de manter o fogo aceso. Também tinha algo tão agitado sobre a janela, que nenhum homem poderia ter um momento de paz. Além disso, havia a perspectiva de vários convidados de posição chegando no decorrer do dia, que esperariam algum tipo de esporte, e os avanços do absurdo (que continuou entre seu jogo) tinham sido tão sérios, que ele temia por sua reputação como um conservador de jogos. Mas o que realmente o tocou quase foi a outra questão de sua noite sem dormir. Ele certamente não poderia dormir naquele quarto novamente.

Esse foi o tema principal de suas meditações no café da manhã e, depois disso, começou uma análise sistemática dos quartos para ver qual se adequaria melhor às suas noções. Demorou muito antes de encontrar um. Este tinha uma janela com uma face oriental e outra com uma face norte; por esta porta os criados estariam sempre passando, e ele não gostava da armação da cama nela. Não, ele deveria ter um quarto com uma face ocidental, de modo que o sol não poderia acordá-lo cedo e deveria estar fora do caminho do uso da casa. A governanta estava no fim de seus recursos ao dizer:

— Bem, Sir Richard, o senhor sabe que há apenas um quarto como esse na casa.

— Qual seria? — perguntou Sir Richard.

— É aquele de Sir Matthew, a câmara oeste.

— Bem, coloque-me lá, pois lá me deitarei hoje à noite — disse seu mestre. — Qual é o caminho? Por aqui, com certeza. — E ele foi rapidamente.

— Oh, Sir Richard, mas ninguém dormiu lá nesses quarenta anos. O ar quase não mudou desde que Sir Matthew morreu lá. — Assim ela falou e tremeu atrás dele.

— Venha, abra a porta, Sra. Chiddock. Verei a câmara, ao menos.

Então foi aberta e, de fato, o cheiro era muito próximo e terroso. Sir Richard andou até a janela, e, impaciente, como era seu costume, jogou as persianas para trás e abriu-a. Pois essa extremidade da casa mal havia sido tocada pelas alterações, crescida como estava junto à grande árvore e, por outro lado, escondida da vista.

— Deixe entrar ar durante todo o dia, Sra. Chiddock, e mova minha roupa de cama na parte da tarde. Coloque o Bispo de Kilmore no meu antigo quarto.

— Ore, Sir Richard — disse uma nova voz, invadindo o discurso. — Posso ter o favor de um momento de atenção?

Sir Richard virou-se e viu um homem de preto à porta, que se curvou.

— Devo pedir seu perdão por esta intrusão, Sir Richard. O senhor, talvez, dificilmente se lembre de mim. Meu nome é William Crome, e meu avô era vigário aqui no tempo de seu avô.

— Bem, senhor — disse Sir Richard —, o nome de Crome é sempre um passaporte para Castringham. Estou feliz em renovar uma amizade presente em duas gerações. Em que posso servi-lo? Pois o momento de sua chamada — e, se não me engano, sua postura — mostra que o senhor está com alguma pressa.

— Isso não é mais do que a verdade, senhor. Estou cavalgando de Norwich para Bury St. Edmunds com a maior pressa e aproveitei o caminho para deixar com o senhor alguns papéis que temos, mas apenas para vir olhar o que meu avô deixou em sua morte. Acredita-se que o senhor possa encontrar alguns assuntos de interesse familiar neles.

— O senhor é muito prestativo, Sr. Crome, e, se o senhor de bom grado puder seguir-me até a sala e beber uma taça de vinho, daremos uma primeira olhada nestes mesmos papéis juntos. E a senhora, Sra. Chiddock, como eu disse, permita entrar ar nesta câmara... Sim, é aqui que meu avô morreu... Sim, a árvore, talvez, faça do lugar um pouco úmido... Não. Não quero ouvir mais nada. Não cause nenhuma dificuldade, eu imploro. A senhora tem suas ordens — vá. Acompanha-me, senhor?

Eles foram até o escritório. O pacote que o jovem Sr. Crome trouxera — ele havia acabado de se tornar membro de Clare Hall em Cambridge, posso dizer, e posteriormente trouxera uma respeitável edição de *Polyaenus* — continha, entre outras coisas, as anotações que o velho vigário havia feito na ocasião da morte de Sir Matthew Fell. E pela primeira vez Sir Richard foi confrontado com a enigmática *Sortes Biblicae* que fora ouvida. Elas o divertiam muito.

— Bem — disse ele —, a Bíblia de meu avô deu um prudente conselho: "Corta-a". Se isso significar o freixo, pode ter certeza de que não o negligencio. Nunca se viu tamanho ninho de sujeiras e doenças.

A sala continha os livros da família que, até a chegada de uma coleção que Sir Richard fizera na Itália e a construção de uma sala apropriada para recebê-los, não eram de grande quantidade.

Sir Richard ergueu os olhos do papel para a estante de livros e disse:

— Eu me pergunto se o velho profeta já está aí? Imagino estar a vê-lo.

Atravessando a sala, ele tirou uma velha Bíblia que, com certeza, trazia na folha de rosto a inscrição:

> *Para Matthew Fell, de sua amada madrinha, Anne Aldous, 2 de setembro de 1659.*

— Não seria um plano ruim testá-lo novamente, Sr. Crome. Aposto que obteremos alguns nomes em *Chronicles*. Ah! O que temos aqui? "Tu me procurarás pela manhã e eu não estarei." Muito bem, muito bem! O avô do senhor teria feito um bom presságio disso, hein? Sem mais profetas para mim! Eles estão todos em uma história. E agora, Sr. Crome, estou infinitamente grato ao senhor por seu pacote. Temo que o senhor fique impaciente para continuar. Por favor, permita-me: outro copo.

Então, com ofertas de hospitalidade, que foram genuinamente intencionadas (pois Sir Richard pensou bem no endereço e nos modos do jovem), eles se separaram.

À tarde vieram os convidados — o Bispo de Kilmore, Srta. Mary Hervey, Sir William Kentfield etc. Jantar às cinco, vinho, cartas, ceia e o momento de ir para a cama.

Na manhã seguinte, Sir Richard estava pouco disposto a pegar sua arma com os demais. Conversou com o Bispo de Kilmore. Esse bispo, ao contrário de muitos bispos irlandeses de sua época, havia visitado sua diocese e, de fato, havia residido lá por um tempo considerável. Esta manhã, enquanto os dois caminhavam pelo terraço e conversavam sobre as alterações e melhorias na casa, o bispo disse, apontando para a janela da Câmara Oeste:

— O senhor nunca conseguiria que um daqueles de meus fiéis irlandeses ocupasse aquele quarto, Sir Richard.

— Por que isso, meu senhor? Aquele, de fato, é o meu.

— Bem, nossa crença do campo irlandês sempre dirá que dormir próximo de um freixo traz a pior sorte, e o senhor tem uma grande árvore a menos de dois metros da janela de seu quarto. Talvez — continuou o bispo, com um sorriso — isso já lhe tenha dado um toque de sua qualidade, pois o senhor não parece, se assim posso dizer, tão satisfeito com seu descanso noturno quanto seus amigos gostariam de vê-lo.

— Isso, ou algo parecido, é verdade, e me custou o sono das doze às quatro, meu senhor. Mas a árvore cairá amanhã, então não terei muito mais notícias dela.

— Eu aplaudo sua determinação. Não pode ser saudável ter o ar que se respira forçado, por assim dizer, por toda aquela folhagem.

— O senhor está certo, eu acho. Porém eu não estava com minha janela aberta ontem à noite. Foi mais o barulho que continuava — sem dúvida, dos galhos batendo no vidro — que me manteve de olhos abertos.

— Difícil que tenham sido os galhos, Sir Richard. Aqui: o senhor vê a partir deste ponto. Nenhum desses galhos realmente mais próximos podem tocar sua janela, a menos que houvesse um vendaval, e não havia nenhum na noite passada. Eles estão distantes do vidro por cerca de um pé.

— Não, senhor, é verdade. Então me pergunto: o que será que raspou e arranhou tanto e cobriu a poeira de meu batente com linhas e marcas?

Por último, concordaram que os ratos devem ter subido através da folhagem. Essa ideia foi do bispo, e Sir Richard agarrou-se a ela.

Assim, o dia passou tranquilo, a noite chegou e o grupo se dispersou para seus quartos, desejando a Sir Richard uma noite melhor.

E agora estamos em seu quarto, com a luz apagada e o proprietário na cama. O quarto fica em cima da cozinha, a noite lá fora ainda está fresca e, então, a janela está aberta.

Há pouca luz ao redor da cabeceira da cama, mas há um movimento estranho ali; parece que Sir Richard moveu a cabeça rapidamente de um lado para o outro, com o menor som possível. E agora se pode imaginar, tão enganosa é a meia escuridão, que ele tinha várias cabeças, redondas e acastanhadas, que se moviam para a frente e para trás, até a altura de seu peito. É uma horrível ilusão. Será que não é algo mais? Lá! Algo cai da cama com um macio salto, como um gato, e sai pela janela num piscar; outro — quatro — e depois disso tudo fica silencioso novamente.

Tu me procurarás pela manhã, e eu não estarei.

Assim como Sir Matthew, Sir Richard também — morto e preto em sua cama!

Um pálido e silencioso grupo de convidados e criados reuniu-se sob a janela quando a notícia foi descoberta. Envenenadores italianos, emissários papais, ar infectado — todas essas e outras suposições foram arriscadas, e o Bispo de Kilmore olhou para a árvore, na qual um gato branco estava agachado no galho, olhando para o buraco que os anos haviam roído do tronco. Ele estava observando algo dentro da árvore com grande interesse.

De repente, ele se levantou e esticou-se sobre o buraco. Então, a pequena beira do galho em que estava cedeu e ele deslizou para dentro. Todos olharam para cima com o barulho da queda.

A maioria de nós sabe que um gato pode chorar; mas poucos de nós ouviram, espero, um grito como o que saiu do tronco do grande freixo. Houve dois ou três gritos — as testemunhas não têm certeza de quantos — e então uma luz e um abafado ruído de alguma comoção ou luta foi tudo o que sucedeu. A Sra. Mary Hervey, porém, desmaiou imediatamente, e a governanta tapou os ouvidos e correu até cair no terraço.

O Bispo de Kilmore e Sir William Kentfield ficaram. No entanto, até eles ficaram assustados, embora fosse apenas o grito de um gato, e Sir William engoliu em seco uma ou duas vezes antes que pudesse dizer:

— Há algo além do que sabemos naquela árvore, meu senhor. Estou inclinado a uma busca imediata.

E assim foi acordado. Uma escada foi trazida, um dos jardineiros subiu e, olhando para o buraco, não conseguiu detectar nada além de alguns indícios de algo se movendo. Eles pegaram uma lanterna e a deixaram cair por uma corda.

— Precisamos chegar ao fundo disso. Aposto minha vida, meu senhor, que o segredo dessas mortes terríveis está aí.

O jardineiro voltou a colocar a lanterna e baixou-a cautelosamente pelo buraco. Eles viram a luz amarela em seu rosto quando ele se curvou, e viram seu rosto ser atingido por um terror e uma repugnância incrédulos antes de gritar com uma voz terrível e cair da escada — onde, felizmente, fora pego por dois dos homens —, deixando a lanterna cair dentro da árvore.

Ele estava desmaiado, e levou algum tempo antes que pudesse dizer qualquer palavra.

Nesse momento, eles tinham outra coisa para olhar. A lanterna deve ter se quebrado no fundo, e a luz nela iluminou as folhas secas e os galhos que ali estavam, pois em poucos minutos uma densa fumaça começou a subir e depois a se acender; e, para resumir, a árvore estava em chamas.

Os espectadores fizeram um círculo a alguns metros de distância, Sir William e o bispo enviaram homens para buscar as armas e as ferramentas que pudessem, pois, claramente, o que quer que pudesse estar usando a árvore como seu covil seria expulso pelo fogo.

E assim foi. Primeiro, no buraco, eles viram um corpo redondo coberto de fogo — do tamanho da cabeça de um homem — surgiu de repente, depois pareceu desabar e cair para trás. Isso cinco ou seis vezes; então, uma bola semelhante saltou no ar e caiu na grama, onde depois de um momento permaneceu imóvel. O bispo se aproximou tanto quanto ousou e viu — nada além dos restos de uma enorme aranha, venenosa e queimada! E, à medida que o fogo queimava mais abaixo, corpos mais terríveis como esse começaram a sair do tronco, e notava-se que eles estavam cobertos por cabelos acinzentados.

Durante todo aquele dia, o freixo ardeu até cair em pedaços, e os homens detiveram-se ao redor dele e, de vez em quando, matavam os corpos enquanto surgiam. Por fim, houve um longo intervalo em que nenhum apareceu e eles cautelosamente se aproximaram e examinaram as raízes da árvore.

— Eles encontraram — diz o Bispo de Kilmore — abaixo dela um lugar oco e arredondado na terra, onde estavam dois ou três corpos dessas criaturas, que haviam sido claramente sufocados pela fumaça, e, o que me parece mais curioso, ao lado dessa toca, encostada na parede, estava agachada a anatomia ou o esqueleto de um ser humano, com a pele ressecada sobre os ossos, tendo alguns restos de cabelo preto, o que foi registrado por aqueles que o examinaram indubitavelmente como o corpo de uma mulher, e claramente morto por um período de cinquenta anos.

Número 13

Entre as cidades da Jutland, Viborg ocupa realmente uma posição elevada. É a sede de um bispado, tem uma bonita catedral, mas quase inteiramente nova, um encantador jardim, um lago de grande beleza e muitas cegonhas. Perto dela está Hald, considerada uma das coisas mais bonitas da Dinamarca, e está próxima de Finderup, onde Marsk Stig assassinou o Rei Erik Glipping no dia de Santa Cecília, no ano de 1286. Cinquenta e seis golpes de maças de cabeças quadradas de ferro foram dados no crânio de Erik quando sua tumba foi aberta no século XVII. No entanto, não estou escrevendo um guia.

Existem bons hotéis em Viborg — Preisler's e Phoenix são tudo o que se pode desejar. Mas meu primo, cujas experiências devo contar agora, foi ao Golden Lion na primeira vez que visitou Viborg. Ele não esteve lá desde então, e as páginas seguintes talvez expliquem o motivo de sua ausência.

O Golden Lion é uma das poucas casas da cidade que não foi destruída no grande incêndio de 1726, que praticamente demoliu a catedral, a Sogne-kirke, o Raadhuus e tantos outros locais antigos e interessantes. É uma grande casa de tijolos vermelhos — ou seja, a frente é de tijolos, com degraus de pedra nos frontões e uma escritura sobre a porta, mas o pátio pelo qual os passantes entram é feito de "quadrados" pretos e brancos de madeira e gesso.

O sol estava se pondo no céu quando meu primo se aproximou da porta, e a luz bateu forte sobre a imponente fachada da casa. Ele ficou encantado com o aspecto antigo do lugar e prometeu a si mesmo uma estadia totalmente satisfatória e divertida em uma pousada tão típica da velha Jutland.

Não foram os negócios, no sentido comum da palavra, que trouxeram Sr. Anderson à Viborg. Ele estava envolvido em algumas pesquisas sobre a história da Igreja na Dinamarca e soube que no RigsArkiv de Viborg havia papéis, salvos do fogo, relativos aos últimos dias do Catolicismo Romano no país. Ele propôs, portanto, passar um tempo considerável — talvez até duas ou três semanas — examinando e copiando alguns, e esperava que o Golden Lion fosse capaz de dar-lhe um aposento de tamanho suficiente para servir igualmente de quarto e escritório. Seus desejos foram explicados ao proprietário, e, depois de alguma reflexão, o último sugeriu que talvez fosse melhor para o cavalheiro olhar um ou dois dos quartos maiores e escolher um para si. Pareceu uma boa ideia.

O último andar logo foi rejeitado por implicar subir demais depois do dia de trabalho. O segundo andar não continha nenhum quarto exatamente com as dimensões exigidas, mas no primeiro andar havia uma escolha de dois ou três quartos que, no que se referia ao tamanho, seriam admiravelmente adequados.

O proprietário era fortemente a favor do Número 17, mas Sr. Anderson ressaltou que suas janelas davam apenas para a parede em branco da próxima casa e que ficaria muito escuro durante a tarde. Tanto o Número 12 quanto o Número 14 seriam melhores, pois ambos davam para a rua. E, além disso, a luz forte do entardecer e a bela vista mais do que compensariam a quantidade adicional de barulho.

Finalmente, o Número 12 foi escolhido. Como seus vizinhos, tinha três janelas, todas de um lado da sala, e era bastante alto e excepcionalmente extenso. Claro, não havia lareira, mas o aquecedor era bonito e bastante antigo — uma elevação de ferro fundido, ao lado da qual estava uma representação de Abraão sacrificando Isaque, e acima a inscrição:

"*I Bog Mose, Cap. 22*".[8]

Nada mais na sala era extraordinário. A única imagem interessante era uma velha impressão colorida da cidade, datada de cerca de 1820.

O momento da ceia estava se aproximando, mas quando Anderson, revigorado pelos banhos comuns, desceu a escada, faltavam ainda alguns minutos para que o sino tocasse. Ele dedicou-os a examinar a lista de seus companheiros de viagem. Como é comum na Dinamarca, seus nomes eram exibidos em um grande quadro-negro, dividido em colunas e linhas, com os números dos quartos escritos no início de cada uma. A lista não era emocionante. Havia um advogado, ou Sagförer, um alemão e alguns bol-

---
8. N.T.: No livro de Moisés

sistas de Copenhague. O único ponto que sugeria qualquer motivo para reflexão era a ausência de qualquer Número 13 na relação dos quartos, e mesmo isso era algo que Anderson já havia notado meia dúzia de vezes em sua experiência em hotéis dinamarqueses. Ele não pôde deixar de se perguntar se a objeção a esse número em particular, comum como é, era tão difundida e forte a ponto de dificultar a permissão de um quarto assim numerado. E então resolveu perguntar ao proprietário se ele e seus colegas de profissão realmente se reuniram com muitos clientes que se recusaram à acomodação no décimo terceiro quarto.

Ele não tinha nada para me dizer (estou contando a história como ouvi dele) sobre o que se passou durante a ceia, e a noite, que foi gasta desfazendo e arrumando suas roupas, livros e papéis, não foi mais agitada. Por volta das onze horas, resolveu ir para a cama, mas com ele, assim como com muitas outras pessoas hoje em dia, uma preliminar quase necessária para ir para a cama, se pretendia dormir, era a leitura de algumas páginas impressas. E, nesse momento, lembrou-se de que o livro específico que estivera lendo no trem, o qual por si só seria satisfatório naquele momento, estava no bolso de seu sobretudo, pendurado em um cabide do lado de fora da sala de jantar.

Descer e pegá-lo foi questão de instantes e, como as passagens não estavam escuras, não foi difícil para ele encontrar o caminho de volta para sua própria porta. Isso, ao menos, é o que ele pensou. No entanto, quando chegou lá e girou a maçaneta, a porta se recusou totalmente a abrir e ele ouviu o som de um movimento apressado vindo de dentro. Ele havia tentado a porta errada, é claro. Seu quarto era à direita ou à esquerda? Ele olhou para o número: era 13.

Seu quarto estaria à esquerda, e assim o foi. E não antes de ter estado na cama por alguns minutos, lido as suas costumeiras três ou quatro páginas de seu livro, apagado a luz e virado para dormir, ocorreu-lhe que, enquanto no quadro-negro do hotel não havia o Número 13, havia, sem dúvida, um quarto de número 13 no hotel. Ele lamentou não tê-lo escolhido para si. Talvez ele pudesse ter prestado um pequeno serviço ao proprietário ocupando-o, dando-lhe a chance de dizer que um britânico bem-nascido morou ali por três semanas e gostou muito. Mas provavelmente era usado como quarto de criados ou algo do tipo. Afinal, provavelmente não era um quarto tão grande ou bom quanto o seu. E ele olhou sonolento para a sala, que era bastante perceptível à meia-luz do poste da rua. Esse era um efeito curioso, pensou ele. Os cômodos geralmente parecem maiores sob uma luz fraca do que sob uma forte, mas parecia ter diminuído o comprimento e aumentado proporcionalmente. Muito bem! Muito bem! Dormir era mais importante do que essas vagas reflexões — e ele foi dormir.

No dia seguinte à sua chegada, Anderson atacou o RigsArkiv de Viborg. Como era de se esperar na Dinamarca, ele foi gentilmente recebido, e o acesso a tudo o que desejava foi facilitado o máximo possível. Os documentos apresentados a ele eram muito mais numerosos e interessantes do que ele havia antecipado. Além de documentos oficiais, havia uma grande quantidade de correspondência relacionada ao Bispo Jörgen Friis, o último católico romano que ocupou a diocese, e neles surgiram muitos detalhes divertidos e chamados de detalhes "íntimos" da vida privada e de caráter individual. Muito se falava de uma casa pertencente ao Bispo, mas não habitada por ele, na cidade. Seu inquilino era aparentemente um escândalo e um obstáculo para o partido reformista. Ele era uma vergonha para a cidade, escreveram eles; praticava artes secretas e perversas e vendeu sua alma ao inimigo. Estava de acordo com a corrupção grosseira e a superstição da Igreja Babilônica que tal víbora e sanguessuga, *Troldmand*, deveria ser apadrinhada e abrigada pelo Bispo.

O Bispo enfrentou essas acusações corajosamente, protestou contra sua própria aversão a todas as coisas como as artes secretas e exigiu que seus antagonistas levassem o assunto ao tribunal apropriado — é claro, o tribunal espiritual — e analisassem profundamente. Ninguém poderia estar mais pronto e disposto do que ele a condenar Mag. Nicolas Francken, se as evidências mostrassem que ele era culpado de algum dos crimes alegados informalmente contra ele.

Anderson não teve tempo de fazer mais do que dar uma olhada na próxima carta do líder protestante, Rasmus Nielsen, antes que o cartório fosse fechado naquele dia; mas reuniu seu teor geral, que era no sentido de que os homens cristãos agora não estavam mais vinculados às decisões dos Bispos de Roma e que a Corte do Bispo não era, e não poderia, ser um tribunal adequado ou competente para julgar uma causa tão grave e de tão grande peso.

Ao sair do escritório, Sr. Anderson foi acompanhado pelo senhor idoso que o presidia, e, à medida que caminhavam, a conversa com muita naturalidade voltou-se para os papéis que acabo de mencionar.

Herr Scavenius, o Arquivista de Viborg, embora muito bem informado sobre o andamento geral dos documentos sob sua responsabilidade, não era um especialista naqueles do período da Reforma. Ele estava muito interessado no que Anderson tinha para dizer sobre eles. Ele esperava com grande prazer, disse ele, ver a publicação na qual Sr. Anderson falou sobre incorporar seus conteúdos, e acrescentou:

— Esta casa do Bispo Friis... — ele continuou: — É um grande enigma para mim o local em que ela poderia estar. Estudei cuidadosamente a topografia da antiga Viborg, mas é muito azar. Aquela do velho terreno da propriedade do Bispo, que foi feita em 1560, e da qual temos a maior parte no Arkiv, justamente a peça que tinha a lista da propriedade da cidade está faltando. Não importa. Talvez um dia eu consiga encontrá-la.

Depois de fazer um pouco de exercício — não me lembro exatamente como ou onde —, Anderson voltou para o Golden Lion, sua ceia, seu jogo de paciência e sua cama. No caminho para seu quarto, ocorreu-lhe que havia se esquecido de comentar com o proprietário sobre a omissão do Número 13 do hotel. No entanto, ele também poderia muito bem certificar-se de que o Número 13 realmente existia antes de fazer qualquer referência ao argumento.

A decisão não foi difícil. Lá estava a porta com seu número tão claro quanto poderia ser, e algum tipo de trabalho estava evidentemente acontecendo lá dentro, pois, quando ele se aproximou da porta, pôde ouvir passos e vozes, ou uma voz, lá dentro. Durante os poucos segundos em que ele parou para certificar-se do número, os passos pararam, aparentemente muito perto da porta, e ele ficou um pouco assustado ao ouvir uma respiração sibilante, rápida como a de uma pessoa em forte excitação. Ele foi para seu próprio quarto e novamente ficou surpreso ao descobrir como parecia muito menor agora do que quando o havia escolhido. Foi uma ligeira decepção, mas apenas ligeira. Se ele descobrisse que realmente não era grande o suficiente, ele poderia facilmente mudar para um outro.

Enquanto isso, ele desejava algo — pelo que me lembro, era um lenço de bolso — de sua mala, que o porteiro colocara em um móvel ou banquinho muito inadequado contra a parede, no quarto, na extremidade mais distante de sua cama. Aqui estava uma coisa muito curiosa: a mala não estava à vista. Fora movida por empregados do local; sem dúvida o conteúdo fora colocado no guarda-roupa. Não, nada havia lá. Aquilo era insultante. Ele imediatamente descartou a ideia de um roubo. Coisas assim raramente acontecem na Dinamarca, mas alguma estupidez certamente foi realizada (o que não é tão incomum), e o criado deve ser tratado com severidade. O que quer que ele quisesse, não era tão necessário para seu conforto que não pudesse esperar até de manhã, e, por isso, decidiu não tocar a campainha e incomodar os criados. Ele foi até a janela — era a janela da direita — e olhou para a rua tranquila. Havia um prédio alto do outro lado, com grandes espaços de parede com reboco, sem passantes, e uma noite escura com muito pouco para ser visto.

A luz estava atrás dele e ele podia ver sua própria sombra claramente projetada na parede oposta. Também a sombra do homem barbudo no Número 11 à esquerda, que passou para lá e para cá com mangas arregaçadas uma ou duas vezes e foi visto primeiro escovando o cabelo e, mais tarde, de pijamas. Também a sombra do ocupante do Número 13 à direita. Isso deveria ser mais interessante. O Número 13 estava, como ele, encostando os cotovelos no peitoril da janela e olhando para a rua. Ele parecia ser um homem alto e magro, ou era acaso uma mulher? Além disso, era alguém que cobrira a cabeça com algum tipo de pano antes de ir para a cama e, segundo ele, deveria possuir um abajur vermelho, e a lâmpada deveria estar piscando muito. Havia um movimento distinto para cima e para baixo de uma luz vermelha incômoda na parede oposta. Ele se esticou um pouco para ver se seria capaz de ver mais da figura, mas, além da sombra de alguma luz, talvez branca, e do material no peitoril da janela, ele não podia ver nada.

Então veio um passo distante na rua, e sua aproximação parecia chamar o Número 13 a uma sensação de sua posição exposta, pois muito rápida e repentinamente ele se afastou da janela e sua luz vermelha se apagou. Anderson, que estava fumando um cigarro, colocou a ponta dele no peitoril da janela e foi para a cama.

Na manhã seguinte, ele foi acordado pelo criado com água quente e tudo o mais. Ele despertou-se sozinho e, depois de pensar as palavras dinamarquesas corretas, disse tão distintamente quanto podia:

— O senhor não deve mover minha mala. Onde está ela?

Como não é incomum, o empregado riu e foi embora sem dar nenhuma resposta nítida.

Anderson, bastante irritado, sentou-se na cama, com a intenção de chamá-lo de volta, mas permaneceu sentado, olhando diretamente à sua frente. Lá estava sua mala, no banco, exatamente onde vira o porteiro colocá-la quando chegara. Esse foi um intenso choque para um homem que se orgulhava de sua precisão de observação. Como poderia ter escapado na noite anterior, ele não tentou entender; de qualquer forma, lá estava ela agora.

A luz do dia mostrou mais do que a mala. Ela deixou as verdadeiras proporções da sala com suas três janelas aparecerem e satisfez seu inquilino que sua escolha, afinal, não tinha sido má. Quando estava quase vestido, foi até uma das três janelas do meio para ver o tempo. Outro choque o aguardava. Estranhamente notou o que deveria ter sido visto na noite anterior. Ele poderia ter jurado dez vezes que havia fumado na janela da direita, a última coisa que fez antes de ir para a cama, e aqui estava a ponta de seu cigarro, no peitoril da janela do meio.

Ele começou a descer para o café da manhã. Um pouco tarde, mas o Número 13 foi mais tarde: aqui estavam suas botas ainda do lado de fora de sua porta — botas de um cavalheiro. Então o Número 13 era um homem, não uma mulher. Só então ele avistou o número na porta. Era 14. Ele pensou que devia ter passado o Número 13 sem perceber. Três erros estúpidos em doze horas foram demais para um homem metódico e preciso, então voltou para ter certeza. O número próximo ao 14 era o Número 12, seu próprio quarto. Não havia nenhum Número 13.

Depois de alguns minutos dedicados a uma cuidadosa consideração de tudo o que teve para comer e beber durante as últimas vinte e quatro horas, Anderson decidiu desistir da pergunta. Se sua visão ou seu cérebro estivessem cedendo, ele teria muitas oportunidades de averiguar esse fato. Senão, ele estava evidentemente a deparar-se com uma experiência muito interessante. Em ambos os casos, certamente valeria a pena assistir ao desenrolar dos fatos.

Durante o dia, ele continuou seu exame da correspondência episcopal que já mencionei. Para sua decepção, estava incompleta. Foi encontrada apenas outra carta que se referia ao caso de Mag

Nicolas Francken. Era do Bispo Jörgen Friis para Rasmus Nielsen. Ele dizia:

"*Embora não estejamos nem um pouco inclinados a concordar com seu julgamento a respeito de nosso tribunal, e estejamos preparados, se necessário, para resistir ao senhor ao máximo a esse respeito, e nosso fiel e amado Mag Nicolas Francken, contra quem ousou alegar certas acusações falsas e maliciosas, tenha sido subitamente afastado de nós, é evidente que a questão agora está para cair. Mas, tanto quanto o senhor ainda alega que o apóstolo e evangelista São João em seu apocalipse celestial descreve a santa igreja romana sob o disfarce e símbolo da mulher escarlate, seja ela conhecida pelo senhor...*"

Etc. Por mais que desejasse, Anderson não encontrou nenhuma sequência desta carta nem pista alguma para a causa ou forma da "remoção" do *casus belli*. Ele podia apenas supor que Francken havia morrido de repente, dois dias entre a data da última carta de Nielsen — quando Francken evidentemente ainda existia — e a da carta do bispo. A morte deve ter sido completamente inesperada.

À tarde, ele fez uma breve visita a Hald e tomou seu chá em Baekkelund. Nem ele podia notar, embora estivesse em um estado de espírito um pouco nervoso, que havia qualquer indicação de tal falha em seu olho ou cérebro como suas experiências da manhã o levaram a temer.

No jantar, ele encontrou-se ao lado do proprietário. E perguntou a ele, depois de uma conversa indiferente:

— Qual é a razão pela qual, na maioria dos hotéis que visitei neste país, o número treze é deixado de fora da lista de quartos? Eu vejo que não há nenhum aqui.

O proprietário parecia divertir-se.

— E pensar que o senhor notaria uma coisa como essa! Pensei nisso uma ou duas vezes, para dizer a verdade. Um homem educado, eu disse, não tem nada a ver com essas noções supersticiosas. Eu cresci aqui na Escola Secundária de Viborg, e nosso velho mestre sempre foi um homem para colocar sua face contra qualquer coisa desse tipo. Ele já morreu há tantos anos. Era um homem bom e honesto, disposto tanto com as mãos quanto com a cabeça. Eu me lembro de nós, quando meninos, em certo dia de neve...

Aqui ele mergulhou em lembranças.

— Então o senhor não acha que existia qualquer objeção particular a ter um Número 13? — perguntou Anderson.

— Ah! Com certeza. Bem, o senhor entende, eu fui trazido até o negócio pelo meu pobre e velho pai. Ele manteve um hotel em Aarhuus primeiro, e então, quando nascemos, ele se mudou aqui para Viborg, que era sua cidade natal, e manteve a Phoenix aqui até morrer. Isso foi em 1876. Então eu comecei a trabalhar em Silkeborg e só me mudei para esta casa no ano retrasado.

Em seguida, seguiram mais detalhes sobre o estado da casa e dos negócios quando assumiu o cargo.

— E, quando o senhor veio para cá, havia um Número 13?

— Não, não. Eu vou lhe contar sobre isso. Veja, em um lugar como este, a classe comercial — os viajantes — são aqueles que temos de servir, no geral. E colocá-los no Número 13? Ora, eles prefeririam dormir na rua. No que me diz respeito, não faria diferença para mim qual era o número do meu quarto, e assim lhes disse muitas vezes, mas eles colocam na cabeça que lhes traz má sorte. Quantidades de histórias eles têm, entre eles, de homens que dormiram em um Número 13 e nunca mais foram os mesmos, ou perderam seus melhores clientes, ou uma coisa e outra — disse o proprietário, depois de procurar uma frase mais clara.

— Então, para que o senhor usa seu Número 13? — perguntou Anderson, consciente ao pronunciar as palavras de uma ansiedade curiosa bastante desproporcional à importância da questão.

— Meu Número 13? Como assim? Eu não lhe disse que não existe esse número na casa? Eu pensei que o senhor tivesse notado isso. Se houvesse, seria ao lado de seu próprio quarto.

— Bem, sim, apenas me ocorreu de pensar, isto é, eu imaginei ontem à noite ter visto uma porta de número treze nesse corredor e, realmente, eu estou quase certo de que foi assim mesmo, pois o vi na noite anterior também.

É claro, Herr Kristensen riu dessa menção de desatenção, como Anderson esperava, e enfatizou com muita certeza o fato de que nenhum Número 13 existia ou havia existido antes dele naquele hotel.

Anderson, de certa forma, estava aliviado por sua certeza, mas ainda intrigado, e começou a pensar que a melhor maneira de ter certeza se ele tinha realmente estado sujeito a uma ilusão, ou não, era convidar o proprietário para seu quarto para fumar um charuto mais tarde durante a noite. Algumas fotografias de cidades britânicas que ele trouxera consigo formaram uma desculpa suficientemente boa.

Herr Kristensen ficou lisonjeado com o convite e muito voluntariamente aceitou. Por volta das dez horas, ele estava pronto para ir ao seu encontro, pois antes disso Anderson tinha algumas cartas para escrever e se ausentou com o propósito de escrevê-las. Ele quase corou para si mesmo ao confessar, mas não podia negar o fato de que estava ficando bastante nervoso com a questão da existência do Número 13, tanto que se aproximou de seu quarto por meio do Número 11, a fim de que não fosse obrigado a passar pela porta ou pelo lugar onde a porta deveria estar. Ele olhou rapidamente e com desconfiança pelo quarto ao entrar, mas não havia nada além desse ar indefinível de estar menor do que o habitual, para justificar quaisquer dúvidas. Não havia dúvida da presença ou ausência de sua mala esta noite. Ele mesmo havia esvaziado seu conteúdo e colocou-a embaixo da cama. Com certo esforço, ele afastou o pensamento do Número 13 de sua mente e sentou-se para sua escrita.

Seus vizinhos estavam quietos o suficiente. Vez ou outra, uma porta se abria no corredor e um par de botas era colocado para fora, ou um entregador passava cantarolando para si mesmo; e fora, de vez em quando, um carrinho fazia barulho sobre as grandes pedras de paralelepípedo ou um passo rápido corria ao longo dos sinais.

Anderson terminou suas cartas e pediu uísque e refrigerante. Então foi até a janela e estudou a parede de reboco em frente às sombras diante dele.

Até onde ele era capaz de se lembrar, o Número 14 havia sido ocupado pelo advogado, um homem calmo, que falou pouco nas refeições, estando geralmente ocupado em estudar um pequeno pacote de papéis ao lado de seu prato. Aparentemente, no entanto, ele tinha o hábito de dar lugar aos seus espíritos animais quando estava sozinho. Por que mais ele poderia estar dançando?

A sombra do quarto ao lado, evidentemente, mostrava que era ele. De novo e de novo sua forma fina cruzou a janela, seus braços se moviam, e uma perna magra foi levantada com agilidade surpreendente. Ele parecia estar descalço, e o piso devia estar bem assentado, pois nenhum som demonstrou seus movimentos. Sagförer Herr Anders Jensen, dançando às dez horas da noite em um quarto de hotel, parecia um assunto adequado para uma pintura histórica em grande estilo, e os pensamentos de Anderson, como os de Emily em *Mistérios de Udolpho*, começaram a "se organizar nas seguintes linhas":

> Quando retorno ao meu hotel,
> Às dez horas da noite,
> Os criados pensam que estou mal.
> Eu não me importo com eles.
> Mas, quando tranco a porta de meu quarto,
> E coloco minhas botas lá fora,
> Danço a noite toda no chão.
> E, mesmo que meus vizinhos reclamem,
> Eu continuarei dançando ainda mais,
> Pois estou familiarizado com a lei,
> E, apesar de todas as suas faces,
> Seus protestos eu ridicularizo.

Se o proprietário neste momento não tivesse batido à porta, é provável que um poema bastante longo pudesse ser colocado diante do leitor. Julgando por seu olhar de surpresa quando se viu na sala, Herr Kristensen foi atingido, como Anderson havia sido, por algo incomum em seu aspecto. Mas ele não fez nenhuma observação. As fotografias de Anderson o interessavam poderosamente e formavam o texto de muitos discursos autobiográficos. Também não está claro como a conversa poderia ser desviada para o argumento desejado sobre o Número 13, se o advogado nesse momento não tivesse começado a cantar, e cantar de uma maneira que não poderia deixar dúvidas na mente de ninguém que ele estava extremamente bêbado, ou muito delirante. Era uma voz alta e fina aquela que eles ouviam, e parecia seca, como se viesse de um longo desuso. Quanto às palavras ou à melodia, não havia o que falar. Subiu a uma altura surpreendente e foi carregada para baixo com um gemido desesperado, como o de um vento de inverno em uma chaminé oca ou de um órgão cujo ar falha repentinamente. Foi um som realmente horrível, e Anderson sentiu que, se ele estivesse sozinho, teria corrido para se refugiar em algum quarto de criados vizinho.

O proprietário sentou-se de boca aberta.

— Eu não entendo isso — disse ele, finalmente, limpando a testa. — É terrível. Eu já ouvi uma vez antes, mas estava certo de que era um gato.

— Ele está bravo? — perguntou Anderson.

— Ele deve estar, e que coisa triste! Um cliente tão bom, também, e tão bem-sucedido em seu negócio, pelo que ouvi, e uma família jovem para construir.

Só então veio uma batida impaciente à porta, e aquele que batia entrou sem esperar ser convidado. Era o advogado, de pijamas, muito descabelado; parecia bastante irritado.

— Peço perdão, senhor, mas eu seria muito grato se o senhor gentilmente desistisse...

Aqui ele parou, pois estava evidente que nenhuma das pessoas diante dele era responsável pela perturbação, e, depois de um momento de calmaria, irritou-se novamente, mais descontroladamente do que antes.

— Mas o que em nome do céu significa isso? — explodiu o advogado. — Onde está? Quem é? Eu estou ficando louco?

— Tem certeza, Herr Jensen, de que vem do quarto ao lado? Não há um gato ou algo preso na chaminé?

Isso foi o melhor que ocorreu a Anderson para dizer, e ele percebeu sua futilidade enquanto falava, mas qualquer coisa era melhor do que ficar de pé e ouvir aquela voz horrível e olhar para o rosto largo e branco do proprietário, todo transpirando e tremendo, enquanto segurava os braços de sua cadeira.

— Impossível — disse o advogado —, impossível. Não há chaminé. Vim aqui porque estava convencido de que o barulho estava acontecendo aqui. Foi certamente no quarto ao lado do meu.

— Não havia uma porta entre a sua e a minha? — perguntou Anderson ansiosamente.

— Não, senhor — disse Herr Jensen, de modo bastante ríspido. — Pelo menos, não esta manhã.

— Ah... — disse Anderson. — Nem esta noite?

— Eu não tenho certeza — disse o advogado com alguma hesitação.

De repente, a voz chorando ou cantando no quarto ao lado cessou, e o cantor foi ouvido aparentemente rindo para si mesmo de maneira cantarolada. Os três homens realmente tremiam com o som. Logo depois, houve silêncio.

— Vamos — disse o advogado. — O que o senhor tem para dizer, Herr Kristensen? O que significa isso?

— Meu Deus! — disse Kristensen. O que devo dizer?! Não sei mais do que os senhores, cavalheiros. Rezo para nunca mais ouvir tal barulho.

— Eu também — disse Herr Jensen, e acrescentou algo sob sua respiração. Anderson pensou que soava como as últimas palavras do Saltério, "*omnis spiritus laudet Dominum*"[9], mas ele não podia ter certeza.

— Mas temos de fazer alguma coisa — disse Anderson —, nós três. Vamos investigar o quarto ao lado?

— Mas esse é o quarto de Herr Jensen — lamentou o proprietário. — Não adianta. Ele mesmo veio de lá.

— Eu não tenho tanta certeza — disse Jensen. — Eu acho que esse cavalheiro está certo: devemos averiguar.

As únicas armas de defesa que poderiam ser reunidas no local eram um bastão e um guarda-chuva. A expedição saiu para o corredor, não sem tremores. Havia um silêncio mortal lá fora, mas uma luz brilhava debaixo da porta ao lado. Anderson e Jensen se aproximaram. Este último virou a maçaneta e deu um impulso vigoroso e repentino. Sem sucesso. A porta continuou fechada.

— Herr Kristensen — disse Jensen —, o senhor pode buscar o criado mais forte que há neste lugar? Temos de resolver isso.

O proprietário acenou com a cabeça e correu para fora, feliz por estar longe da cena de ação. Jensen e Anderson ficaram do lado de fora olhando para a porta.

— Este *é* o Número 13, o senhor vê — disse Anderson.

— Sim, há a sua porta e há a minha — disse Jensen.

— Meu quarto tem três janelas durante o dia — disse Anderson, com dificuldade em suprimir uma risada nervosa.

---

9. N. T.: "Cada respiração louva ao Senhor!"

— Por George, o meu também! — disse o advogado, virando-se e olhando para Anderson. Suas costas estavam agora viradas para a porta. Naquele momento a porta se abriu, um braço saiu e arranhou seu ombro. Estava coberto de linho esfarrapado, amarelado, e a pele nua, onde podia ser vista, tinha longos cabelos grisalhos sobre ela.

Anderson conseguiu puxar Jensen bem a tempo para fora de seu alcance com um grito de nojo e medo, quando a porta se fechou novamente e uma risada baixa foi ouvida.

Jensen não tinha visto nada, mas, quando Anderson disse às pressas o risco que ele corria, caiu num grande estado de agitação e sugeriu que eles deviam desistir da ação e trancar-se num de seus quartos.

No entanto, enquanto ele estava desenvolvendo esse plano, o proprietário e dois homens grandes chegaram ao local, todos parecendo bastante sérios e alarmados. Jensen os encontrou com uma grande descrição e explicação, que não tendia a incentivá-los para o enfrentamento.

Os homens deixaram cair os pés de cabra que trouxeram e disseram categoricamente que não arriscariam suas gargantas no covil daquele diabo. O proprietário estava miseravelmente nervoso e indeciso, consciente de que, se o perigo não fosse enfrentado, seu hotel estaria arruinado, e estava muito assustado para enfrentá-lo ele mesmo. Felizmente, Anderson encontrou uma maneira de reunir a força desacreditada e disse:

— É essa a coragem dinamarquesa de que tanto ouvi falar? Não há um alemão lá, e, se houvesse, somos cinco contra um.

Os dois criados e Jensen sentiram-se motivados por isso e foram rapidamente para a porta.

— Parem! — disse Anderson. — Não percam a cabeça. O senhor proprietário fica aqui com a luz, e um de vocês dois arromba a porta, mas não entre quando ela ceder.

Os homens balançaram a cabeça, e o mais jovem deu um passo à frente, levantou seu pé de cabra e deu um tremendo golpe na parte superior. O resultado não foi, no mínimo, o que qualquer um deles esperava. Não havia rachaduras ou quebras de madeira — apenas um som maçante, como se a parede sólida tivesse sido atingida. O homem deixou cair a ferramenta com um grito e começou a esfregar o cotovelo. Seu grito chamou a atenção dos demais sobre ele por um momento e, então, Anderson olhou para a porta novamente. Ela havia sumido. A parede de gesso do corredor estava diante de seu rosto, com um corte considerável nela onde o pé de cabra tinha atingido. O Número 13 havia deixado de existir.

Por um breve momento, eles ficaram perfeitamente parados, olhando para a parede em branco. Era possível ouvir um galo da madrugada no pátio abaixo, e, quando Anderson olhou na direção do som, viu pela janela no final do longo corredor que o céu oriental estava clareando.

— Talvez — disse o proprietário, com hesitação — os senhores, cavalheiros, gostariam de outro quarto para esta noite. Um de cama dupla?

Nem Jensen nem Anderson estavam avessos à sugestão. Eles sentiam-se inclinados a caçar em duplas depois de sua experiência noturna. Foi considerado conveniente, quando cada um deles foi ao seu quarto recolher os artigos que desejava para a noite, que o outro o acompanhasse e segurasse a vela. Eles notaram que tanto o Número 12 quanto o Número 14 tinham *três* janelas.

Na manhã seguinte, o mesmo grupo se reuniu novamente no Número 12. O proprietário estava naturalmente ansioso para evitar a ajuda externa, e ainda assim era obrigatório que o mistério ligado a essa parte da casa fosse esclarecido. Assim, os dois criados foram induzidos a assumir a função de carpinteiros. A mobília fora limpa e, ao custo de uma boa quantidade de tábuas irremediavelmente danificadas, parte do chão fora tirada: a que estava mais perto do Número 14.

Você provavelmente está imaginando que um esqueleto — o de Mag Nicolas Francken — foi descoberto. Não foi assim. O que encontraram entre as vigas que sustentavam o piso foi uma pequena caixa de cobre. Nela estava um documento, um pergaminho fino, ordenadamente dobrado, com cerca de vinte linhas de escrita. Tanto Anderson quanto Jensen (que provou ser uma espécie de paleógrafo) estavam muito animados com essa descoberta, que prometeu dar a resposta aos fenômenos extraordinários.

Possuo uma cópia de uma obra astrológica que nunca li. Tem, no frontispício, uma xilogravura de Hans Sebald Beham, representando uma série de sábios sentados ao redor de uma mesa. Esse detalhe pode permitir que os conhecedores identifiquem o livro. Não consigo lembrar-me de seu título, e não está neste momento ao alcance, mas as hastes dele estão cobertas de escrita e, durante os dez anos em que possuí o volume, não fui capaz de determinar de que modo essa escrita deva ser lida, muito menos em que língua está. Não foi diferente a posição de Anderson e Jensen após o exame prolongado ao qual submeteram o documento na caixa de cobre.

Após dois dias de contemplação, Jensen, que era o espírito mais ousado dos dois, arriscou a conjectura de que a língua era latim ou dinamarquês antigo.

Anderson não ousou fazer suposições e estava muito disposto a entregar a caixa e o pergaminho à Sociedade Histórica de Viborg, para ser colocada em seu museu.

Eu ouvi toda a história dele alguns meses depois, quando nos sentamos em uma floresta próxima de Upsala, depois de uma visita à biblioteca de lá, onde nós — ou melhor, eu — rimos sobre o contrato pelo qual Daniel Salthenius (mais tarde professor de Hebraico em Konigsberg) vendeu-se a Satã. Anderson não se divertiu realmente.

— Jovem idiota! — disse ele referindo-se a Salthenius, que era apenas um estudante quando cometeu essa indiscrição. — Como ele sabia qual companhia ele estava cortejando?

E, quando sugeri as considerações usuais, ele apenas grunhiu. Naquela mesma tarde, ele me contou o que foi lido, mas se recusou a tirar qualquer inferência disso e a concordar com qualquer uma que eu lhe tivesse esboçado.

Conde Magnus

Por quais meios os papéis com que fiz uma interligada história chegaram às minhas mãos é o último ponto que o leitor descobrirá a partir destas páginas. No entanto, é necessário antecipar uma declaração aos meus trechos das páginas da forma que os possuo.

Eles consistem, então, em partes de uma série de coleções para um livro de viagens como um volume, como um produto comum dos anos quarenta e cinquenta. O *Jornal de uma Residência em Jutland e nas Ilhas Dinamarquesas* de Horace Marryat é um exemplar justo da classe à qual me refiro. Esses livros geralmente tratam de algum distrito desconhecido no continente. Eles eram ilustrados com xilogravuras ou placas de aço. Davam detalhes da acomodação do hotel e de meios de comunicação, como agora esperamos encontrar em qualquer guia bem regulamentada, e lidavam largamente com conversas relatadas com estrangeiros inteligentes, estaleiros atrevidos e gigantescos camponeses. Em poucas palavras, eles eram tagarelas.

Comecei com a ideia de fornecer material para tal livro, meus trabalhos com eles progrediram e assumiram o caráter de um registro de uma única experiência pessoal, e esse registro foi seguido até a véspera, quase, de seu término.

O escritor era certo Sr. Wraxall. De acordo com meu conhecimento a respeito dele, devo depender inteiramente das evidências que seus escritos oferecem e, a partir destes, deduzo que ele era um homem que havia passado da meia-idade, dono de alguns meios privados e muito sozinho no mundo. Ele não tinha, ao que parece, nenhuma habitação estabelecida na Inglaterra, mas era um morador de hotéis e pensões. É provável que ele tenha alimentado a ideia de se estabelecer em algum momento futuro que nunca chegou. E eu acho que também é provável que o fogo no edifício Pantechnicon, no início dos anos setenta, tenha destruído um grande negócio que teria lançado a luz em seus antecedentes, pois ele se refere uma ou duas vezes à propriedade dele que fora armazenada naquele estabelecimento.

É ainda evidente que esse Sr. Wraxall publicou um livro e que tratou de um feriado que já havia vivido na Grã-Bretanha. Mais do que isso não posso dizer sobre seu trabalho, porque uma busca diligente em trabalhos bibliográficos me convenceu de que ele deve ter aparecido anonimamente ou sob um pseudônimo.

Quanto ao seu caráter, não é difícil formar alguma opinião superficial. Ele deve ter sido um homem inteligente e culto. Parece que ele estava perto de ser um bolsista de faculdade em Oxford — Brasenose, como julgo a partir do *Calendário*. Sua culpa foi claramente a de excesso de curiosidade, possivelmente uma boa culpa em um viajante, deveras uma falha pela qual este viajante pagou caro o suficiente no final.

No que provou ser sua última expedição, ele estava planejando outro livro. A Escandinávia, uma região não muito conhecida pelos britânicos há quarenta anos, havia chamado sua atenção como um interessante campo. Ele deve ter descoberto alguns livros antigos da história ou das memórias da Suécia, e a ideia lhe fez parecer que havia espaço para um livro descritivo de viagens na Suécia, intercalado com episódios da história de algumas das grandes famílias suecas. Ele, então, obteve cartas de apresentação para algumas pessoas de importância na Suécia e foi até lá no início do verão de 1863.

De suas viagens ao Norte não há necessidade de falar, nem de sua residência de algumas semanas em Estocolmo. É necessário apenas mencionar que algum sábio morador de lá colocou-o na trilha de uma importante coleção de documentos familiares pertencentes aos proprietários de uma antiga mansão em Västergötland, e obteve permissão para examiná-los.

A mansão, ou *herrgård*, em questão deve ser chamada de Råbäck (pronunciada algo como Roebeck), embora não seja esse o seu nome. É um dos melhores edifícios de seu tipo em todo o país, e a imagem dela está em Dahlenberg, *Suecia antiqua et moderna*, feita em 1694, e mostra-a bastante como o turista pode vê-la hoje. Foi construída logo após 1600 e é, descrevendo-a de forma rude, muito parecida com uma casa britânica daquele período em relação ao material e ao estilo: tijolos vermelhos com frente de pedra. O homem que a construiu era um descendente da grande estirpe de De la Gardie, e seus descendentes possuíam-na ainda. De la Gardie é o nome pelo qual vou designá-los quando a menção a eles tornar-se necessária.

Eles receberam Sr. Wraxall com grande bondade e cortesia e pressionaram-no para ficar na casa enquanto durassem suas pesquisas. Mas, preferindo estar independente, e desconfiando de seus poderes de conversar em sueco, estabeleceu-se na estalagem da cidade, que se mostrou suficientemente confortável de qualquer forma durante os meses de verão. Essa decisão implicaria uma curta caminhada diária na ida e na volta da mansão, algo abaixo de uma milha.

A casa em si ficava em um parque, e era protegida — digamos, elevada — com grande madeira velha. Perto dela encontrava-se o jardim cercado e, em seguida, entrava-se em um bosque próximo a um dos pequenos lagos dos quais todo o país está repleto. Então se nota a parede da propriedade, e levanta-se uma colina íngreme, uma elevação de rocha ligeiramente coberta com terra, e no topo dela fica a igreja, cercada por árvores altas e escuras. Era uma construção curiosa para olhos ingleses. O salão e os corredores eram baixos e cheios de bancos e galerias. Na galeria ocidental, estava o belo e velho órgão, alegremente pintado e com tubos de prata. O teto era plano e tinha sido adornado por um artista do século XVII com um estranho e horrível "Último Julgamento", cheio de chamas sinistras, cidades em queda, navios em chamas, almas chorando e demônios sorridentes e marrons. Havia uma bela coroa de latão pendurada no telhado; o púlpito parecia uma casa de boneca, coberta com pequenos querubins e santos de madeira pintada, e um pedestal com três ampulhetas estava preso à mesa do padre. Pontos turísticos como estes podem ser vistos em muitas igrejas na Suécia agora, mas o que distinguiu esse foi uma adição ao edifício original. No extremo do corredor norte, o construtor da mansão havia erguido um mausoléu para ele e sua família. Era uma grande construção de oito lados, iluminada por uma série de janelas ovais, e tinha um telhado abobadado, coberto por uma espécie de objeto em forma de abóbora elevando-se em um pináculo, uma forma que os arquitetos suecos apreciavam muito. O telhado era de cobre na parte externa e foi pintado de preto, enquanto as paredes, em comum com as da igreja, eram incrivelmente brancas. Para esse mausoléu não havia acesso da igreja. Tinha um portão e passagens próprias ao lado norte.

Depois do cemitério, o caminho para a cidade, não mais do que três ou quatro minutos, leva em direção à porta da estalagem.

No primeiro dia de sua estadia em Råbäck, Sr. Wraxall encontrou a porta da igreja aberta e fez aquelas anotações internas que descrevi. Do mausoléu, no entanto, ele não poderia tomar a direção. Ele podia, olhando pelo buraco da fechadura, ver que havia belas estátuas de mármore e tumbas de cobre e uma riqueza de ornamentos armoriais, o que o deixou muito ansioso para passar algum tempo em investigação.

Os papéis que ele veio examinar na mansão provaram ser da natureza que ele desejava para o seu livro. Havia correspondências familiares, diários e livros de contas dos primeiros proprietários do local, cuidadosamente mantidos e claramente escritos, cheios de detalhes divertidos e pitorescos. O primeiro De la Gardie apareceu neles como um homem forte e capaz. Pouco depois da construção da mansão, houve um período de angústia no distrito, e os camponeses se levantaram, atacaram vários castelos e causaram alguns estragos. O dono de Råbäck tomou um papel importante na resolução do problema, e houve referência a execuções de líderes e punições severas infligidas, sem poupar a força.

O retrato desse Magnus de la Gardie era um dos melhores da casa, e Sr. Wraxall estudou-o sem nenhum interesse após o seu dia de trabalho. Ele não dá nenhuma descrição detalhada dele, mas percebi que o rosto o impressionou mais por seu poder que por sua beleza ou bondade. De fato, ele escreve que Conde Magnus era um homem quase que espetacularmente feio.

Nesse dia, Sr. Wraxall ceou com a família e voltou no final ainda iluminado da noite e escreveu:

Devo-me lembrar de perguntar ao sacristão se ele pode deixar-me entrar no mausoléu da igreja. Ele evidentemente tem acesso a tal lugar, pois eu o vi esta noite parado nos degraus e, como pensei, trancando ou destrancando a porta.

Descobri que, no dia seguinte, Sr. Wraxall teve uma conversa com seu proprietário. O fato de ele anotar na extensão com que o faz me surpreendeu a princípio; mas logo percebi que os papéis que estava lendo eram, pelo menos no início, os materiais para o livro que ele estava pensando, e que deveria ter sido uma daquelas produções quase jornalísticas que admitem a introdução de uma mistura de matéria informal.

Seu objetivo, diz ele, era descobrir se alguma tradição do Conde Magnus De la Gardie persistia nas cenas da atividade daquele cavalheiro, e se a lembrança popular sobre ele era favorável ou não. Ele descobriu que o conde decididamente não era um favorito. Se seus inquilinos chegassem atrasados ao trabalho nos dias que deviam a ele como Senhor da Mansão, eram colocados no cavalo de madeira ou açoitados e marcados no quintal da casa. Houve um ou dois casos de homens que ocuparam terras que invadiam o domínio do senhor e cujas casas foram misteriosamente queimadas em uma noite de inverno, com toda a família dentro. Mas o que mais parecia ocupar a mente do dono da estalagem, pois ele voltou ao assunto mais de uma vez, foi que o conde estivera na Peregrinação Negra e trouxera algo ou alguém com ele.

O leitor naturalmente deve se perguntar o que Sr. Wraxall fez e o que a Peregrinação Negra pode ter sido. No entanto, a curiosidade sobre o assunto deve permanecer insatisfeita por enquanto, assim como a dele. O proprietário estava evidentemente relutante em dar uma resposta completa, ou mesmo qualquer resposta, sobre o assunto, e, sendo chamado por um momento, foi embora com evidente entusiasmo, apenas colocando a cabeça à porta alguns minutos depois para dizer que fora chamado ao Skara e que não deveria estar de volta antes do anoitecer.

Então, Sr. Wraxall teve de ir insatisfeito ao seu dia de trabalho na mansão. Os papéis nos quais ele logo estava debruçado colocaram seus pensamentos em outro local, pois ele teve de se ocupar em folhear a correspondência entre Sophia Albertina em Estocolmo e sua prima casada Ulrica Leonora em Råbäck nos anos 1705–1710. As cartas eram de excepcional interesse pela luz que lançaram sobre a cultura daquele período na Suécia, como pode testemunhar qualquer um que tenha lido a edição completa delas nas publicações da Comissão Sueca de Manuscritos Históricos.

À tarde, ele havia feito isso e, após devolver as caixas em que estavam guardadas em seus lugares na prateleira, passou muito naturalmente a retirar alguns dos volumes mais próximos deles, a fim de determinar qual deles seria melhor como seu principal objeto de investigação no dia seguinte. A prateleira que ele encontrou estava ocupada principalmente por uma coleção de livros contábeis escritos pelo primeiro Conde Magnus. Contudo um deles não era um livro de contas, mas sim um livro de alquimia e outros tratados de uma outra mão do século XVI. Não estando muito familiarizado com a literatura de alquimia, Sr. Wraxall gastou muito tempo, que poderia ter poupado, ao definir os nomes e o início dos vários tratados: *O livro da Fênix, O livro das Trinta Palavras, O livro do Sapo, O livro de Miriam, Turba philosophorum* e assim por diante. E, então, anuncia com bastante circunstância seu deleite em encontrar, em uma folha originalmente deixada em branco, próxima ao meio do livro, algum escrito do próprio Conde Magnus intitulado *Liber nigrae peregrinationis*.

É verdade que apenas algumas linhas haviam sido escritas, mas era o suficiente para mostrar que o proprietário havia se referido naquela manhã a uma crença pelo menos tão antiga quanto o tempo de Conde Magnus, e provavelmente compartilhada por ele. Isso, escrito em inglês, seria:

> Se algum homem deseja obter uma vida longa, se deseja obter um fiel mensageiro e ver o sangue de seus inimigos, é necessário que vá primeiro à cidade de Corazim e, ali, saudar o príncipe...

Aqui, uma palavra fora apagada, mas não muito, de modo que Sr. Wraxall teve certeza de que estava certo ao lê-la como *aëris* ("do ar"). No entanto, não havia mais texto escrito, apenas uma linha em latim:

"Quaere reliqua hujus materiei inter secretiora"
(veja o resto desta matéria entre os segredos).

Não era possível negar que isso emitiu uma luz bastante sinistra sobre os gostos e crenças do conde, mas, para o Sr. Wraxall, separado dele por quase três séculos, o pensamento de que ele poderia ter adicionado a alquimia à sua força geral, e à alquimia algo como mágica, apenas fez dele uma figura mais pitoresca, e, após uma contemplação bastante prolongada de seu quadro na sala, Sr. Wraxall partiu para o caminho de volta para casa. Sua mente estava repleta de pensamentos sobre Conde Magnus. Ele não tinha olhos para o que havia à sua volta, nenhuma percepção dos cheiros noturnos do bosque ou da luz do entardecer no lago. E, quando de repente parou, ficou surpreso ao se encontrar já no portão do cemitério, poucos minutos antes de seu jantar. Seus olhos caíram sobre o mausoléu e ele disse:

"Ah, Conde Magnus, aí está o senhor. Gostaria muito de vê-lo. Como muitos homens solitários", ele escreveu, "tenho o hábito de falar sozinho em voz alta e, ao contrário de algumas partículas gregas e latinas, não espero uma resposta. Certamente, e talvez felizmente neste caso, não houve voz nem ninguém que observasse: apenas a mulher que, suponho, estava limpando a igreja, deixou cair algum objeto metálico no chão, cujo barulho me assustou. Conde Magnus, creio, dorme bem."

Naquela mesma noite, o proprietário da estalagem, que ouvira Sr. Wraxall dizer que desejava ver o escrivão ou diácono (como era chamado na Suécia) da paróquia, apresentou-o a esse funcionário na sala da estalagem. Uma visita até a casa-tumba De la Gardie foi logo marcada para o dia seguinte, seguida de uma pequena conversa geral.

Sr. Wraxall, lembrando que uma função dos diáconos escandinavos é ensinar os candidatos para a crisma, pensou que ele renovaria sua própria memória em uma questão bíblica e pediu:

— O senhor pode me dizer algo sobre Corazim?

O diácono pareceu assustado, mas prontamente lembrou a ele de como aquela cidade já havia sido castigada, e Sr. Wraxall disse:

— Certo. E suponho que seja uma grande ruína agora?

— É o que creio — respondeu o diácono. — Ouvi alguns de nossos antigos sacerdotes dizerem que o Anticristo nascerá lá, e há contos...

— Ah! Que contos são esses? — interveio o Sr. Wraxall.

— Contos, era o que ia dizer, mas me esqueci — disse o diácono, e logo em seguida desejou boa noite.

O proprietário agora estava sozinho e à mercê de Sr. Wraxall, e aquele questionador não estava inclinado a poupá-lo ao dizer:

— Herr Nielsen, descobri algo sobre a Peregrinação Negra. O senhor pode também dizer o que sabe. O que o Conde trouxe consigo?

Os suecos costumam ser lentos, talvez, para responder, ou talvez o proprietário tenha sido uma exceção. Não tenho certeza, mas Sr. Wraxall observa que o proprietário passou pelo menos um minuto olhando para ele antes de dizer qualquer coisa. Então ele se aproximou de seu convidado e, com muito esforço, contou a seguinte história:

"Sr. Wraxall, posso lhe contar uma pequena história e nada mais. Não mais. O senhor não deve perguntar nada quando eu terminar. Na época de meu avô, isto é, há noventa e dois anos, havia dois homens que diziam:
— O Conde está morto, não nos importamos com ele. Iremos hoje à noite e faremos uma livre caçada em seu bosque.
O longo bosque na colina que o senhor viu atrás de Råbäck. Bem, aqueles que os ouviram dizer isso responderam:
— Não, não vão. Temos certeza de que encontrarão pessoas caminhando que não deveriam estar caminhando. Elas deveriam estar descansando, não caminhando.
Esses homens riram. Não havia homens do bosque para manter o bosque, porque ninguém queria caçar lá. A família não estava aqui na casa. Esses homens podiam fazer o que quisessem.
Muito bem, eles vão até o bosque essa noite. Meu avô estava sentado aqui nesta sala. Era verão e uma noite clara. Com a janela aberta, ele podia ver o bosque lá fora e ouvir.
Então ele se sentou lá com mais dois ou três homens junto dele e eles ouviram. No início, eles não ouvem nada e, então, ouvem alguém, o senhor sabe como está longe. Eles ouvem alguém gritar, como se a parte mais íntima de sua alma tivesse sido arrancada de si. Todos eles na sala ficaram parados e permaneceram sentados assim por três quartos de hora. Então eles ouvem outra pessoa cerca de apenas trezentos metros de distância. Eles ouvem-no rir alto. Não foi um daqueles dois homens que riu e, na verdade, todos eles disseram que não

era um homem qualquer. Depois disso, eles ouvem uma grande porta sendo fechada.

Então, quando a luz já estava clara com o sol, todos foram até o padre. E disseram-lhe:

— Padre, vista sua batina e sua gola e venha enterrar esses homens, Anders Bjornsen e Hans Thorbjorn.

O senhor entende que eles tinham certeza de que esses homens estavam mortos. Então eles foram até o bosque. Meu avô nunca se esqueceu disso. Ele disse que todos eles pareciam com quaisquer homens mortos. O padre também estava com um pálido medo. Ele respondeu quando foram até ele:

— Eu ouvi um choro durante a noite e ouvi uma risada em seguida. Se não conseguir esquecer isso, não poderei dormir novamente.

Então eles foram para o bosque e encontraram esses homens na entrada dele. Hans Thorbjom estava de pé com as costas contra uma árvore e o tempo todo empurrando com as mãos — empurrando algo que não estava ali. Então ele não estava morto. E eles o afastaram, levaram-no para a casa em Nykjoping e ele morreu antes do inverno, mas continuou empurrando algo com as mãos. Anders Bjornsen também estava lá, mas estava morto. E digo isso ao senhor sobre Anders Bjornsen, que ele já havia sido um homem bonito, mas nesse momento seu rosto não estava mais lá, porque a carne dele fora sugada para fora dos ossos. O senhor entende isso? Meu avô não se esqueceu disso. E eles o deitaram no caixão que trouxeram, colocaram um pano sobre sua cabeça e o sacerdote se aproximou primeiro. E começaram a cantar o salmo para os mortos o melhor que podiam. Então, enquanto cantavam o final da primeira estrofe, um caiu, que carregava a cabeça do caixão, e os outros olharam para trás, viram que o pano havia caído e os olhos de Anders Bjornsen estavam olhando para cima, porque não havia nada para cobri-los. E isso eles não podiam suportar. Então o sacerdote colocou o pano sobre ele, mandou buscar uma pá e o enterraram naquele lugar."

No dia seguinte, Sr. Wraxall registra que o diácono o chamou logo após seu café da manhã e o levou à igreja e ao mausoléu. Ele percebeu que a chave deste último estava pendurada em um prego apenas pelo púlpito, e ocorreu-lhe que, como a porta da igreja parecia estar destrancada como regra, não seria difícil para ele gastar um segundo ou mais em visitas privadas aos monumentos, se provasse haver ali mais interesse do que se poderia imaginar em princípio. Quando ele entrou na construção, não achou nada de pouca imponência. Os monumentos, na maioria, grandes elevados dos séculos XVII e XVIII, eram solenes, embora exuberantes, e os epitáfios e brasões eram abundantes.

O espaço central do pátio abobadado era ocupado por três tumbas de cobre, cobertas por ornamentos finamente gravados. Dois deles tinham, como costuma acontecer na Dinamarca e na Suécia, um grande crucifixo de metal na tampa. O terceiro, aquele do Conde Magnus, como parecia, tinha, em vez disso, uma efígie de corpo inteiro gravada nela, e ao redor da borda havia várias faixas de ornamentos semelhantes representando diversas cenas. Uma era uma batalha, com canhões soltando fumaça, cidades muradas e tropas de homens com lanças. Outra mostrava uma execução. Em uma terceira, entre as árvores, estava um homem correndo a toda velocidade, com o cabelo esvoaçante e as mãos estendidas.

Depois dessa, seguia-se uma forma estranha. Seria difícil dizer se o artista havia planejado fazer um homem e era incapaz de dar a semelhança necessária ou se foi intencionalmente feito tão monstruoso quanto parecia. Dada a habilidade com que o resto do desenho foi feito, Sr. Wraxall sentiu-se inclinado a adotar a última ideia. A figura era excessivamente baixa e, na maior parte, estava coberta por um manto com capuz que se arrastava pelo chão. A única parte da forma que se projetava daquele manto não possuía a forma de nenhuma mão ou braço. Sr. Wraxall comparou-o ao tentáculo de um peixe-diabo e continua a escrever:

> "Ao ver isso, disse a mim mesmo: Então isso que é evidentemente uma representação alegórica de algum tipo, um demônio caçando uma alma perseguida, pode ser a origem da história do Conde Magnus e seu companheiro misterioso. Vejamos como o caçador é retratado: sem dúvida será um demônio soprando seu berrante."

No entanto, como se via, não existia tal figura extraordinária, apenas a aparência de um homem com um manto em um morro, apoiado em um cajado, observando a caça com um interesse que o artista tentara expressar em sua atitude.

Sr. Wraxall notou os cadeados de aço maciços e finamente trabalhados (três no total) que protegiam a tumba. Um deles, segundo notou, fora quebrado e tinha caído no chão. E então, não desejando atrasar mais o diácono ou desperdiçar seu próprio tempo de trabalho, ele seguiu em frente para a mansão. Porém ele observa:

"É curioso como, ao refazer um caminho familiar, os pensamentos nos absorvem até a exclusão absoluta dos objetos ao redor. Esta noite, pela segunda vez, deixei de notar para onde estava indo. Havia planejado uma visita privada à tumba para copiar os epitáfios. Quando de repente, por assim dizer, acordei para a consciência e me vi (como antes) entrando no portão do cemitério e, eu acredito, cantando ou entoando algumas palavras como 'O senhor está acordado, Conde Magnus? O senhor está dormindo, Conde Magnus?', e então há algo mais que não consegui me lembrar. Pareceu-me que já fazia algum tempo que devia comportando dessa maneira absurda."

Ele encontrou a chave do mausoléu onde esperava encontrá-la e copiou a maior parte do que queria. Na verdade, ele ficou até que a luz começou a falhar. Ele escreve:

"Devo ter me enganado ao afirmar que um dos cadeados da tumba do meu conde estava aberto. Vejo esta noite que dois estão soltos. Peguei os dois e coloquei-os cuidadosamente no parapeito da janela depois de tentar fechá-los sem sucesso. O que resta ainda está firme e, embora ache que seja uma fechadura de mola, não consigo imaginar como venha a ser aberto. Se eu tivesse conseguido abri-lo, receio que teria tomado a liberdade de abrir a tumba. Temo que seja estranho o interesse que sinto pela personalidade desse um tanto feroz e sombrio antigo nobre."

O dia seguinte foi, ao que parece, o último da estadia de Sr. Wraxall em Råbäck. Ele recebeu cartas relacionadas a certos investimentos que tornaram desejável que ele voltasse para a Inglaterra. Seu trabalho entre os jornais estava praticamente concluído, e as viagens eram lentas. Resolveu, portanto, despedir-se, dar alguns retoques finais em suas anotações e partir.

Tais toques finais e despedidas levaram, no fim das contas, mais tempo do que ele esperava. A hospitaleira família insistiu para que ele ficasse para jantar; eles jantaram às três, e eram quase seis e meia quando ele estava fora dos portões de ferro de Råbäck. Ele se deteve longamente em cada passo de sua caminhada à beira do lago, determinado a prestar atenção nele, agora ciente do lugar e da hora. E, quando alcançou o cume da colina do cemitério, demorou-se ali por muitos minutos, olhando para a perspectiva ilimitada de bosques próximos e distantes, todos escuros sob um céu verde água. Quando, por fim, virou-se para ir embora, ocorreu-lhe o pensamento de que certamente ele deveria despedir-se do Conde Magnus, bem como do resto dos De la Gardies. A igreja ficava a apenas vinte metros de distância e ele sabia onde estava pendurada a chave do mausoléu. Não demorou muito para que ele estivesse de pé sobre o grande caixão de cobre e, como sempre, falando consigo mesmo em voz alta:

— O senhor pode ter sido um pouco malandro em sua época, Magnus, mas gostaria de vê-lo, ou melhor...

E escreve:

> "Naquele instante, senti uma pancada no pé. Apressadamente, levei-o para trás e algo caiu no chão com um estrondo. Era o terceiro, o último, dos três cadeados que prendiam a tumba. Abaixei-me para pegá-lo e — o Céu é minha testemunha de que estou escrevendo apenas a clara verdade —, antes de me levantar, houve um som

de dobradiças de metal rangendo, e vi distintamente a tampa movendo-se para cima. Posso ter-me comportado como um covarde, mas não pude ficar por um momento sequer. Saí daquela horrível construção em menos tempo do que consigo escrever, quase tão rápido quanto poderia ter dito. E o que me assusta ainda mais: não consegui girar a chave na fechadura. Enquanto estou sentado aqui em meu quarto observando esses fatos, pergunto-me (não foi há vinte minutos) se aquele barulho de metal rangendo continuou, e não posso dizer se continuou ou não. Só sei que havia algo mais do que escrevi que me assustou, mas, se foi som ou visão, não sou capaz de me lembrar. O que é que fiz?"

Pobre Sr. Wraxall! Ele partiu em sua viagem para a Inglaterra no dia seguinte, conforme planejado, e chegou em segurança à Inglaterra. No entanto, conforme percebo de sua letra alterada e anotações inconsequentes, era um homem dilacerado. Um dos vários pequenos cadernos que me trouxeram com seus papéis não dá uma ideia completa, mas sim uma suspeita de suas experiências. Grande parte de sua viagem foi feita em barcos de canal, e eu encontro nada menos que seis dolorosas tentativas de enumerar e descrever seus companheiros de viagem. As entradas são deste tipo:

"24 Pastor da cidade em Skåne. Casaco preto usual e chapéu preto macio.
25 Viajante comercial de Estocolmo indo até Trollhattan. Capa preta, chapéu marrom.
26 Homem com uma longa capa preta, chapéu de folhas largas, muito antiquado."

Esta entrada está alinhada e há uma nota adicionada: "Talvez idêntico ao Nº 13. Ainda não vi seu rosto."

Ao me referir ao Nº 13, descubro que esse é um sacerdote romano de batina.

O próximo resultado do ajuste de contas é sempre o mesmo. Vinte e oito pessoas aparecem na enumeração, sendo uma sempre um homem com uma longa capa preta e chapéu largo e a outra uma "figura baixa com capa escura e capuz". Por outro lado, sempre nota-se que apenas 26 passageiros aparecem às refeições, que o homem da capa talvez esteja ausente e que a figura baixa certamente está ausente.

Ao chegar à Inglaterra, parece que Sr. Wraxall desembarcou em Harwich e que resolveu imediatamente se colocar fora do alcance de alguma pessoa, ou pessoas, que ele nunca especifica, mas que evidentemente passou a considerar como seus perseguidores. Consequentemente, ele pegou um veículo — era uma carroça fechada —, não confiando na ferrovia, e seguiu através do país até a cidade de Belchamp St. Paul. Eram cerca de nove horas em uma noite de luar de agosto quando ele se aproximou do local. Ele estava sentado à frente e olhava pela janela, para os campos e matagais — havia pouco mais para ser visto — passando rapidamente por ele. De repente, chegou a uma encruzilhada. Na esquina, duas figuras estavam imóveis; ambos usavam mantos escuros. O mais alto usava chapéu; o mais baixo um capuz. Ele não teve tempo de ver seus rostos, nem eles fizeram algum movimento que ele pudesse discernir. No entanto, o cavalo recuou violentamente e começou a galopar, e Sr. Wraxall afundou de volta em sua cadeira de maneira semelhante ao desespero. Ele os havia visto antes.

Ao chegar a Belchamp St. Paul, ele teve a sorte de encontrar um alojamento decente e mobiliado, e pelas próximas vinte e quatro horas viveu, comparativamente falando, em paz. Suas últimas anotações foram escritas neste dia. Elas são muito desarticuladas e confusas para serem fornecidas aqui na íntegra, mas a substância delas é clara o suficiente. Ele está esperando a visita de seus perseguidores, como ou quando ele não sabe, e seu grito constante é "O que ele havia feito?" e "Não há esperança?". Os médicos, ele sabe, o chamariam louco, os policiais ririam dele. O pároco está ausente. O que ele poderia fazer além de trancar a porta e clamar a Deus?

As pessoas ainda se lembravam do ano passado em Belchamp St. Paul, quando um estranho cavalheiro apareceu em uma noite de agosto, anos atrás, e quando, na manhã seguinte, ele foi encontrado morto. Houve um inquérito e, do júri que vira o corpo caído, sete deles desmaiaram, nenhum deles quis falar sobre o que fora visto e o veredicto foi a visitação de Deus; e de quando as pessoas que mantinham a casa mudaram-se naquela mesma semana e afastaram-se daquele local. Mas eles não sabem, eu acho, que algum raio de luz já foi lançado, ou poderia ser lançado, sobre o mistério. Acontece que, no ano passado, a casinha caiu em minhas mãos como parte de uma herança. Estava vazia desde 1863 e parecia não haver perspectiva de não estar. Mandei demoli-la, e os papéis dos quais fiz um resumo foram encontrados em um armário esquecido sob a janela do melhor quarto.

"Oh! Assovie, e eu irei até você, meu rapaz"

— Suponho que o senhor irá embora muito em breve, agora que o mandato completo terminou, professor — disse uma pessoa que não estava na história ao Professor de Ontologia, logo depois de se sentarem lado a lado em um banquete no salão de encontros de St. James's College.

O professor era jovem, elegante e preciso no discurso.

— Sim. Meus amigos estão me fazendo jogar golfe neste momento, e eu pretendo ir para a Costa Leste, na verdade, para Burnstow (suponho que a conhecem) por uma semana ou dez dias, para melhorar meu jogo. Espero sair amanhã.

— Oh, Parkins — disse seu vizinho do outro lado. — Se está indo para Bumstow, gostaria que olhasse o local do Preceptório dos Templários e avise-me caso ache bom ocorrer uma escavação lá durante o verão.

Como é possível supor, foi uma pessoa de antiquários que disse isso, mas, uma vez que ele apenas aparece neste prólogo, não há necessidade de dar seus créditos.

— Certamente — respondeu Parkins, o professor. — Se me descrever a localização do sítio, farei o possível para lhe dar uma ideia da configuração do terreno quando voltar, ou poderia escrever ao senhor sobre isso, se puder dizer onde está ou onde é provável que esteja.

— Não se preocupe em fazer isso; obrigado. É só que estou pensando em levar minha família para esse local no futuro e me ocorreu que, como poucos dos preceptores britânicos já foram devidamente descritos, posso ter a oportunidade de fazer algo útil nos dias de folga.

O professor entendeu a ideia de que planejar um preceptório poderia ser descrito como útil. E seu vizinho continuou:

— O sítio... Duvido que haja algo aparecendo acima do solo, deve estar bem perto da praia agora. O mar avançou tremendamente ao longo daquele pedaço de costa, como o senhor sabe. Devo pensar, a partir do mapa, que deve estar a cerca de três quartos de milha da Estalagem Globe, no extremo norte da cidade. Onde o senhor vai ficar?

— Bem, *na* Estalagem Globe, na verdade — respondeu Parkins. — Aluguei um quarto lá. Eu não poderia entrar em nenhum outro lugar, a maioria das pensões fecha no inverno, ao que parece. E, do jeito como está, eles me disseram que o único quarto de qualquer tamanho que posso ter é realmente um quarto com camas duplas, já que eles não têm um canto para guardar a outra cama e assim por diante. Mas devo ter um quarto bastante grande, pois estou levando alguns livros e pretendo trabalhar um pouco. E, embora eu não goste muito de ter uma cama vazia, para não falar de duas, no que posso chamar por enquanto de meu escritório, suponho que possa dar um jeito de suportar pelo pouco tempo que estarei lá.

— Você acha que ter uma cama extra em seu quarto é ruim, Parkins? — perguntou uma pessoa sincera do lado oposto. — Olhe, posso descer e me ocupar por lá durante um tempo. Será uma companhia para você.

O professor estremeceu, mas conseguiu rir de uma forma cortês.

— Certamente, Rogers, não há nada que me agradaria mais. Mas temo que ache isso um tanto aborrecedor. O senhor não joga golfe, joga?

— Não, graças a Deus! — respondeu o rude Sr. Rogers.

— Bem, veja, quando não estiver escrevendo, provavelmente estarei nas associações, e isso, como disse, temo que possa ser um tanto enfadonho para o senhor.

— Oh, eu não sei! Certamente há alguém que conheço no local, mas, claro, se não me quiser, diga claramente, Parkins. Não ficarei ofendido. A verdade, como o senhor sempre diz, nunca é ofensiva.

Parkins foi, de fato, escrupulosamente educado e estritamente verdadeiro. É de se temer que Sr. Rogers às vezes se colocasse em ação com base em seu conhecimento dessas características. No coração de Parkins havia um conflito que agora estava furioso, que por um ou dois momentos não lhe permitiu responder. Terminado esse intervalo, ele disse:

— Bem, se o senhor deseja a verdade exata, Rogers, estava pensando se o quarto de fato será grande o suficiente para acomodar nós dois com conforto, e também se... Veja, eu não teria dito isso se não me tivesse pressionado... O senhor não representaria algo da natureza de um obstáculo ao meu trabalho.

Rogers riu alto e disse:

— Muito bem, Parkins! Está tudo bem. Prometo não interromper seu trabalho, não se incomode com isso. Não, eu não irei se você não me quiser, mas achei que deveria fazer isso de bom grado para manter os fantasmas afastados.

Aqui ele poderia ser visto piscando e cutucando seu companheiro próximo. Parkins talvez tenha começado a corar.

— Peço perdão, Parkins — continuou Rogers. — Eu não deveria ter dito isso. Esqueci que o senhor não gostava de leviandade nesses tópicos.

— Bem — respondeu Parkins —, como o senhor mencionou o assunto, admito livremente que eu *não* gosto de conversas descuidadas sobre o que o senhor chama de fantasmas. — E continuou levantando um pouco a voz. — Um homem na minha posição, eu acho, não pode ser muito cuidadoso ao parecer julgar as crenças atuais sobre tais questões. Como o senhor sabe, Rogers, ou como deveria saber, pois acho que nunca escondi meus pontos de vista...

— Não, certamente não, meu velho — interrompeu Rogers *sotto voce*.

— Considero que qualquer semelhança, qualquer aparência de aceitação à visão de que tais coisas possam existir é equivalente a uma renúncia a tudo o que considero mais sagrado. Mas receio não ter conseguido chamar sua atenção.

— Sua *inteira* atenção, foi o que o Dr. Blimber realmente disse[*10] — Rogers interrompeu, com toda a aparência de um de-

---

10.* N.T.: Sr. Rogers estava errado, consulte Dornbey and Son, Capítulo 12.

sejo sincero de precisão. — Peço seu perdão, Parkins: estou interrompendo o senhor.

— Não, de maneira nenhuma — respondeu Parkins. — Não me lembro de Blimber. Talvez ele tenha vindo antes do meu tempo. Mas não preciso continuar. Eu tenho certeza de que o senhor sabe o que eu quero dizer.

— Sim, sim, exatamente isso — disse Rogers um tanto apressadamente. — Vamos examinar tudo isso em Burnstow ou em algum outro lugar.

Ao reproduzir o diálogo acima, tentei dar a impressão que ele causou em mim, que Parkins era uma espécie de velha — um pouco parecido com uma galinha, talvez, em seus pequenos modos. Era totalmente destituído, infelizmente, de senso de humor, mas ao mesmo tempo destemido e sincero em suas convicções, e um homem que merece o maior respeito. Quer o leitor tenha ou não entendido muito, esse era o caráter que Parkins possuía.

No dia seguinte, Parkins, como esperava, conseguiu sair da faculdade e chegar a Burnstow. Ele foi recebido na Estalagem Globe, foi instalado de modo satisfatório no grande quarto com camas duplas do qual ouvimos falar e, antes de se retirar para descansar, arranjou seus materiais para o trabalho ao pedir uma torta de maçã sobre uma mesa confortável que ocupava a extremidade externa da sala, cercada dos três lados por janelas que davam para o mar. Isto é, a janela central dava diretamente para o mar, e as da esquerda e as da direita comandavam perspectivas ao longo da costa ao norte e ao sul, respectivamente. Ao sul, era possível ver a cidade de Burnstow. Ao norte, não se viam casas, apenas a praia e o penhasco baixo que a protegia. Imediatamente à frente havia uma faixa — não considerável — de grama áspera, marcada por velhas âncoras, cabrestantes e assim por diante. A seguir, havia um amplo caminho e depois a praia. Qualquer que fosse a distância original entre a Estalagem Globe e o mar, agora não mais de sessenta metros os separavam.

O resto da população da estalagem era, naturalmente, jogadora de golfe e incluía alguns elementos que exigem uma descrição especial. A figura mais ilustre era, talvez, a de um *ancien militaire*, secretário de um clube de Londres e dono de uma voz de incrível força e de opiniões de um tipo marcadamente protestante. Estas eram capazes de encontrar expressão depois de sua assistência às ministrações do vigário, um homem respeitável com inclinações para um ritual pitoresco, que ele galantemente conteve o máximo que pôde por deferência à tradição da Anglicana do leste.

Professor Parkins, de quem foi arrancada uma das principais características, passou a maior parte do dia seguinte à sua chegada a Burnstow no que chamava de "melhorar seu jogo", na companhia deste Coronel Wilson. E, durante a tarde — se o processo de melhora fora realizado ou não, não tenho certeza —, o comportamento do coronel assumiu uma coloração tão sinistra que até Parkins estremeceu com a ideia de voltar das associações para casa junto a ele. Ele determinou, depois de uma curta e furtiva olhada para aquele bigode eriçado e aquelas feições encarnadas, que seria mais sábio permitir que as influências do chá e do fumo fossem o suficiente com o coronel antes da hora do jantar, que se tornaria um encontro inevitável.

— Eu posso ir para casa esta noite pelo caminho da praia — refletiu ele. — Sim, e posso dar uma olhada; haverá luz suficiente para isso, nas ruínas de que Disney estava falando para mim. A propósito, não sei exatamente onde elas estão, mas acho que dificilmente posso evitar tropeçar nelas.

Assim ele concluiu, posso dizer, no sentido mais literal, pois, ao escolher o caminho das junções da praia de cascalho, seu pé se prendeu parcialmente em uma raiz de tojo e em uma pedra grande e, assim, ele caiu. Quando ele se levantou e examinou os arredores, viu-se em um terreno um tanto acidentado coberto por pequenas depressões e montes. Estes últimos, quando foi examiná-los, provaram ser simplesmente massas de pedras incrustadas em morteiros e cobertas pela vegetação rasteira. Ele deve estar no local do preceptório que prometeu observar, e concluiu corretamente. Não parecia improvável que recompensasse a pá do explorador. Provavelmente, uma quantidade suficiente das fundações não foi deixada em grande profundidade para lançar uma boa luz sobre o plano geral. Ele se lembrou vagamente de que os Templários, a quem esse local pertencera, tinham o hábito de construir igrejas ao redor, e pensou que uma série particular de elevados ou montes próximos a ele pareciam estar dispostos em algo de forma circular.

Poucas pessoas podem resistir à tentação de arriscar um pouco de pesquisa amadora em um departamento totalmente fora do seu, nem que seja pela satisfação de mostrar o quão bem-sucedidos teriam se tivessem levado a sério. Nosso professor, no entanto, sentiu algo desse mesquinho desejo e também estava apenas ansioso para agradar ao Sr. Disney. Assim, percorreu com cuidado a área circular que percebeu e anotou suas dimensões aproximadas em seu caderninho. Em seguida, passou a examinar uma elevação oval que ficava a leste do centro do círculo e parecia, a seu pensamento, ser a base de uma plataforma ou altar. Em uma extremidade dela, ao norte, um pedaço de vegetação tinha desaparecido — removida por alguma criança ou outra criatura *ferae naturae*. E ele pensou que poderia ser possível observar o solo aqui em busca de evidências de alvenaria, pegou sua faca e começou a raspar a terra. E agora se seguia outra pequena descoberta: uma porção de solo caiu para dentro enquanto ele raspava, e revelou uma pequena cavidade.

Ele acendeu um fósforo após o outro para ajudá-lo a ver qual era a natureza do buraco, mas o vento era forte demais para eles. Batendo e arranhando as laterais com sua faca, no entanto, ele foi capaz de descobrir que devia ser um buraco artificial na alvenaria. Era retangular e as laterais, superiores e inferiores, se não realmente rebocadas, eram lisas e regulares. Claro que estava vazio. Não! Quando retirou a faca, ouviu um tilintar metálico e, quando colocou sua mão, ele encontrou um objeto cilíndrico caído no chão do buraco. Naturalmente, ele o pegou; e quando o trouxe para a luz, que agora desaparecia rapidamente, ele foi capaz de ver que também era feito pelo homem, um tubo de metal de cerca de dez centímetros de comprimento, evidentemente de uma idade considerável.

Quando Parkins se certificou de que não havia mais nada naquele estranho receptáculo, era tarde e escuro demais para pensar em fazer qualquer outra busca. O que ele havia feito mostrou-se tão inesperadamente interessante, que decidiu sacrificar um pouco mais da luz do dia da manhã seguinte para a arqueologia. O objeto que ele agora tinha seguro em seu bolso certamente deveria ter algum valor mínimo, ele tinha certeza.

Sombria e solene foi a vista para a qual ele deu uma última olhada antes de voltar para casa. Uma tênue luz amarela no oeste mostrava as associações, nas quais algumas figuras movendo-se em direção à sede do clube ainda eram visíveis: a longa torre *martello*, as luzes da cidade de Aldsey, a faixa de areia pálida cruzada em intervalos por espinhos de madeira negra e o mar escuro e murmurante. O vento soprava forte do norte, mas estava atrás dele quando partiu para o Globe. Ele se movimentou rapidamente e colidiu com o cascalho e sujou-se de areia, sobre a qual, exceto pelos montes que precisavam ser superados a cada poucos metros, o avanço era bom e silencioso.

Um último olhar para trás, para medir a distância que percorrera desde a saída da arruinada igreja dos Templários, mostrou-lhe uma perspectiva de companhia em sua caminhada, na forma de um personagem um tanto indistinto, que parecia estar fazendo grandes esforços para alcançá-lo, mas fizera pouco ou nenhum progresso. Quero dizer que havia uma aparência de correria sobre seus movimentos, mas a distância entre ele e Parkins não parecia diminuir materialmente. Assim, ao menos, pensou Parkins, e decidiu que era quase certo que não o conhecia e que seria absurdo esperar até que ele se aproximasse. Por tudo isso, começou a pensar que uma companhia seria realmente muito bem--vinda naquela solitária costa, se ao menos fosse possível escolher seu companheiro. Em seus dias não iluminados, havia lido sobre reuniões em tais lugares que, mesmo agora, dificilmente suportaria pensar. No entanto, ele continuou a pensar neles até chegar na casa, particularmente em uma que atrai a atenção da maioria das pessoas em algum momento de sua infância:

"Agora vi em meu sonho que Christian tinha se afastado apenas um pouco quando viu um demônio sujo vindo do campo para encontrá-lo. O que deveria fazer agora se olhasse para trás e visse uma figura preta, nitidamente definida contra o céu amarelo, e visse que possui chifres e asas? Pergunto-me se deveria resistir ou fugir. Felizmente, o cavalheiro atrás não é desse tipo e parece estar tão distante agora quanto no momento em que o vi pela primeira vez. Bem, nesse ritmo ele não receberá o jantar tão rápido quanto eu e, nossa, agora faltam apenas quinze minutos. Devo me apressar!"

Parkins tinha, na verdade, muito pouco tempo para se vestir. Quando ele encontrou o coronel no jantar, a paz — ou tanto dela quanto aquele cavalheiro conseguira — reinou mais uma vez no peito militar; nem fora colocada de lado nas horas de atividade que se seguiram ao jantar, pois Parkins era um jogador mais do que respeitável. Quando, portanto, ele se retirou por volta da meia noite, sentiu que tinha passado a noite de uma maneira bastante satisfatória e que, mesmo por quinze dias ou três semanas, a vida no Globe seria suportável em condições semelhantes. "Especialmente se continuar melhorando meu jogo", pensou.

Ao percorrer os corredores, encontrou o criado do Globe, que parou e disse:

— Perdão, senhor, mas, quando estava escovando seu casaco agora mesmo, algo caiu do bolso. Eu coloquei em sua cômoda, senhor, em seu quarto, senhor, um pedaço de um cachimbo ou algo parecido, senhor. Obrigado, senhor. O senhor o encontrará em sua cômoda, senhor. Sim, senhor. Boa noite, senhor.

O discurso serviu para lembrar Parkins de sua pequena descoberta daquela tarde. Foi com considerável curiosidade que ele se virou junto da luz de suas velas. Era de bronze, ele agora via, e tinha a forma muito semelhante a um moderno apito para cachorro. Na verdade, era... sim, certamente era... realmente nem mais nem menos que um apito. Ele o levou aos lábios, mas estava cheio de areia ou terra fina e endurecida, que não cedia ao soprar, mas precisava ser solta com uma faca.

Organizado como sempre em seus hábitos, Parkins limpou a terra em um pedaço de papel e levou este até a janela para esvaziá-lo. A noite estava clara e iluminada, como viu ao abrir a janela, e parou por um instante para olhar o mar e notar um lento andarilho parado na praia em frente à estalagem. Em seguida, fechou a janela, um pouco surpreso com a hora tardia em que as pessoas ficavam em Burnstow, e levou o apito novamente até a luz. Ora, certamente havia marcas nele, e não apenas marcas, mas letras! Uma pequena esfregada tornou a inscrição profundamente cortada bastante legível, mas o professor teve de confessar, depois de pensar seriamente, que o significado daquilo era tão obscuro para ele quanto a escrita na parede de Baltazar. Havia letras na frente e na parte de trás do apito.

As primeiras foram lidas assim:

FLA FUR BIS FLE

As outras:

QUIS EST ISTE QUI VENIT

E ele pensou:

"Achei que fosse capaz de decifrar, mas suponho que estou um pouco enferrujado no meu latim. Quando penso nisso, acho que nem conheço a palavra para apito. O longo parece bastante simples. Deve significar, 'Quem é este que está vindo?', Bem, a melhor maneira de descobrir é evidentemente soprá-lo."

Ele soprou hesitantemente e parou de repente, assustado, e ainda assim satisfeito, com a nota que havia emitido. Tinha uma qualidade de distância infinita nela e, por mais suave que fosse, de alguma forma sentiu que devia ser ouvida por quilômetros. Também era um som que parecia ter o poder (que muitos aromas possuem) de formar imagens no cérebro. Ele viu claramente por um momento a visão de um amplo e escuro campo à noite, com um vento fresco que soprava e no meio uma figura solitária — ocupada de que maneira, ele não sabia dizer. Talvez ele tivesse visto mais se a imagem não tivesse sido quebrada pela súbita onda de uma rajada de vento contra sua janela, tão repentina que o fez erguer os olhos, bem a tempo de ver o brilho branco da asa de uma ave marinha em algum lugar fora dos vidros escuros.

O som do apito fascinou-o tanto, que ele não pôde deixar de tentar mais uma vez, desta vez com mais ousadia. A nota era um pouco mais alta do que antes, se muito, e a repetição quebrou a ilusão de que nenhuma imagem apareceu, como ele talvez esperasse que acontecesse:

— Mas o que é isso? Meu Deus! Com que força o vento pode se levantar em poucos minutos! Que rajada tremenda! Ali! Eu sabia que não adiantaria fechar as janelas! Ah! Eu pensei que as velas estariam apagadas. É o suficiente para fazer da sala uma bagunça.

A primeira coisa fora fechar a janela. Embora o leitor deva contar até vinte, Parkins lutara com a pequena janela e sentia quase como se empurrasse um robusto invasor, de tão forte que era a pressão. Ele conseguiu ao fazer força uma vez; a janela bateu e trancou-se. Agora, deveria reacender as velas e ver quanto dano, se havia algum, fora feito. Não, nada parecia errado. Nenhum vidro sequer foi quebrado no batente. Mas o barulho evidentemente despertou pelo menos um membro da casa: o coronel podia ser ouvido batendo os pés calçados em meias no andar de cima e resmungando.

O vento não diminuiu tão rápido como iniciara. Ele prosseguiu, soprando e passando rápido pela casa, às vezes chegando a um grito tão desolado que, como disse Parkins desinteressadamente, poderia ter deixado pessoas fantasiosas se sentirem desconfortáveis; mesmo os sem imaginação, ele pensou quinze minutos depois, seriam mais felizes sem ouvir o grito.

Se era o vento, ou a empolgação do golfe, ou as pesquisas no preceptório que mantinham Parkins acordado, ele não tinha certeza. Ele permaneceu acordado, de qualquer forma, tempo suficiente para imaginar (como temo que muitas vezes eu mesmo costumo fazer nessas condições) que foi vítima de todos os tipos de doenças fatais: ele mentiria contando as batidas de seu coração, convencido de que pararia de trabalhar a cada momento e iria entreter graves suspeitas de seus pulmões, cérebro, fígado etc., suspeitas que ele tinha certeza de que seriam dissipadas com o retorno da luz do dia, mas que até então se recusavam a ser deixadas de lado. Ele encontrou um pouco de conforto indireto na ideia de que outra pessoa estava no mesmo barco. Um vizinho próximo (na escuridão não era fácil dizer a direção dele) também se sacudia e se agitava na cama.

O próximo passo foi que Parkins fechasse os olhos e decidisse dar todas as chances ao sono. Aqui, novamente, a superexcitação manifestou-se de outra forma — a de criar imagens. *Exporto crede*, as imagens chegam aos olhos fechados de quem tenta dormir e, muitas vezes, são tão pouco ao seu gosto, que se deve abrir os olhos e dispersá-las.

A experiência de Parkins nessa ocasião foi muito angustiante. Ele descobriu que a imagem que se apresentava a ele era contínua. Quando ele abriu os olhos, é claro, ela desaparecera, mas, quando os fechou mais uma vez, ela se enquadrou mais uma vez e manifestou-se novamente, nem mais rápida nem mais lenta do que antes. O que ele viu foi isto:

Um longo trecho de costa, cascalho margeado pela areia e cruzado em intervalos curtos com montes negros descendo para a água. Uma cena, de fato, tão parecida com a de sua caminhada à tarde que, na ausência de qualquer marca, não poderia ser distinguida daquela. A luz era obscura, transmitindo a impressão de uma tempestade aproximando-se, final da tarde de inverno e chuva fraca. Nesse cenário sombrio, a princípio nenhum ator era visível.

Então, à distância, um objeto preto balançando apareceu. Um momento a mais e havia um homem correndo, pulando, escalando os montes e, a cada poucos segundos, olhando ansiosamente para trás. Quanto mais perto ele chegava, mais óbvio era que ele não estava apenas ansioso, mas terrivelmente assustado, embora seu rosto não pudesse ser distinguido. Ele estava, além disso, quase no fim de suas forças. Ele se aproximava, cada obstáculo sucessivo parecia causar-lhe mais dificuldade do que o anterior.

"Ele vai superar o próximo?" —, pensou Parkins. "Parece um pouco mais alto do que os outros."

Sim. Meio escalando, meio jogando-se, ele se desviou e caiu inteiramente em um monte do outro lado (o lado mais próximo do espectador). Ali, como se fosse realmente incapaz de se levantar, ele permaneceu agachado sob o quebra-mar, erguendo os olhos numa atitude de dolorosa ansiedade.

"Olhar para cima é uma atitude de dolorosa ansiedade." (James McBryde)

Até o momento, nenhuma causa para o medo do corredor havia sido mostrada, mas agora começava a ser vista, bem acima na costa, um pequeno lampejo de algo de cor clara movendo-se para frente e para trás com grande rapidez e irregularidade. Crescendo rapidamente, ela também se mostrou uma figura de panos pálidos e esvoaçantes, mal definidos. Havia algo em seu movimento que tornava Parkins muito pouco disposto a vê-lo mais de perto. Aquilo parava, levantava os braços, curvava-se em direção à areia, depois corria curvado pela praia até a beira da água e voltava. E então, levantando-se mais uma vez, continuou seu curso para frente a uma velocidade que era surpreendente e aterrorizante. Chegou o momento em que o perseguidor estava pairando da esquerda para a direita, apenas alguns metros além do quebra-mar onde o corredor estava escondido. Depois de dois ou três movimentos ineficazes aqui e ali, ele parou, ficou em pé com os braços erguidos e, assim, começou a avançar direto ao quebra-mar.

Foi nesse ponto que Parkins sempre falhou em sua decisão de manter os olhos fechados. Com muitas dúvidas quanto a um primário problema visual, ao cérebro sobrecarregado, ao tabagismo excessivo e assim por diante, ele finalmente resignou-se a acender sua vela, pegar um livro e passar a noite acordado, em vez de ser atormentado por esse persistente panorama, que viu com bastante clareza, e só poderia ser um mórbido reflexo de sua caminhada e de seus pensamentos naquele mesmo dia.

O ranger do fósforo na caixa e o reflexo da luz devem ter assustado algumas criaturas da noite, ratos ou não, que ele ouviu correndo pelo chão ao lado de sua cama com muito farfalhar.

— Nossa, nossa! O fósforo apagou! Porcaria, é isso!

No entanto, o segundo queimou melhor e uma vela e um livro foram devidamente iluminados, sobre os quais Parkins se debruçou até que o sono de um tipo saudável caiu sobre ele, e isso em pouco tempo. Pela primeira vez em sua vida ordenada e prudente, ele se esqueceu de apagar a vela e, quando foi chamado às oito da manhã seguinte, ainda havia uma luz cintilante na vela e uma triste bagunça de parafina derretida no tampo da pequena mesa.

Depois do café da manhã, ele estava em seu quarto dando os retoques finais em seu traje de golfe — a sorte lhe dera novamente o coronel como parceiro —, quando uma das criadas entrou e disse:

— Oh, por favor, gostaria de algum cobertor extra em sua cama, senhor?

— Ah! Obrigado — respondeu Parkins. — Sim, acho que gostaria de um. Parece que vai esfriar um pouco.

Em pouco tempo a criada voltou com a coberta e perguntou:

— Em qual cama devo colocá-lo, senhor?

— O quê? Ora, aquela... aquela em que dormi ontem à noite — disse ele ao apontar.

— Ah, sim! Peço perdão, senhor, mas o senhor parecia ter tentado as duas. Pelo menos, tivemos de arrumar as duas esta manhã.

— Verdade? Que absurdo! — disse Parkins. — Eu certamente nunca toquei na outra, exceto para colocar algumas coisas nela. Realmente parecia que alguém tinha dormido nela?

— Oh, sim, senhor! — respondeu a criada. — Ora, todas as coisas estavam amassadas e atiradas para todos os lados, se me permite, senhor, exatamente como se alguém não tivesse passado nada além de uma péssima noite, senhor.

— Nossa — disse Parkins. — Bem, posso ter bagunçado mais do que pensei quando desembrulhei minhas coisas. Sinto muito por ter lhe causado esse trabalho extra, tenho certeza. Espero um amigo meu em breve, de qualquer forma, um cavalheiro de Cambridge, para vir ocupá-la por uma ou duas noites. Suponho que esteja tudo bem, não?

— Ah, sim, com certeza, senhor. Obrigada, senhor. Não há problema, tenho certeza — disse a criada, e saiu para dar risadinhas com seus companheiros.

Parkins partiu com grande determinação para melhorar seu jogo.

Fico feliz em poder informar que ele teve tanto sucesso nessa empreitada, que o coronel, que se vinha queixando bastante com a perspectiva de um segundo dia de jogo em sua companhia, tornou-se bastante tagarela à medida que a manhã avançava. Sua voz ecoava nos apartamentos, como alguns de nossos poetas menores também diziam, "como um grande sino em uma torre de igreja".

— Vento extraordinário que tivemos ontem à noite — disse ele. — Na minha velha casa, poderíamos ter dito que alguém o havia assobiado.

— O senhor poderia, de fato! — complementou Parkins. — Ainda existe uma superstição desse tipo em sua parte do país?

— Não sei sobre superstições — respondeu o coronel. — Eles acreditam nisso em toda a Dinamarca e na Noruega, bem como na costa de Yorkshire, e minha experiência é que, veja bem, geralmente há algo por trás do que esses camponeses defendem e têm defendido por gerações. Mas é a sua jogada — Ou seja lá o que for: o leitor de golfe terá que imaginar digressões apropriadas nos intervalos apropriados.

Quando a conversa foi retomada, Parkins disse com uma leve hesitação:

— A propósito do que o senhor acabou de dizer, coronel, acho que devo dizer-lhe que minhas próprias opiniões sobre esses assuntos são muito fortes. Eu sou, na verdade, um descrente convicto do que é chamado de "sobrenatural".

— O quê? — perguntou o coronel. — O senhor quer me dizer que não acredita em segundo plano, fantasmas ou qualquer coisa desse tipo?

— Em nada desse tipo — concordou Parkins finalmente.

— Bem — disse o coronel —, mas nesse ritmo me parece que o senhor deve ser pouco melhor do que um saduceu.

Parkins estava a ponto de responder que, em sua opinião, os saduceus eram as pessoas mais sensatas sobre as quais ele havia lido no Antigo Testamento, mas, sentindo alguma dúvida se havia muita menção a eles naquela obra, preferiu rir da acusação.

— Talvez eu seja — respondeu ele. — Mas... aqui, dê-me meu taco, rapaz! Com licença, um momento, coronel.

Um pequeno intervalo.

— Agora, quanto ao assobio do vento, deixe-me apresentar minha teoria a respeito. As leis que governam os ventos realmente não são perfeitamente conhecidas, pelos pescadores, claro, não são totalmente conhecidas. Um homem ou mulher de hábitos excêntricos, talvez, ou um estranho, é visto repetidamente na praia em alguma hora incomum e é ouvido apitando. Logo depois, um vento violento aumenta. Um homem que pudesse ler o céu perfeitamente ou que possuísse um barômetro poderia ter previsto que sim. As pessoas simples de uma vila de pescadores não têm barômetros, mas sim algumas regras grosseiras para profetizar o tempo. O que é mais natural do que o excêntrico personagem que postulei deva ser considerado como tendo levantado o vento ou que ele, ou ela, deva agarrar-se ansiosamente à reputação de ser capaz de fazê-lo? Agora, veja o vento da noite passada: na verdade, eu mesmo estava apitando. Apitei duas vezes e o vento parecia soprar absolutamente em resposta ao meu chamado. Se alguém me tivesse visto...

A conversa teria ficado um pouco inquieta com esse barulho e Parkins, temo, caíra um pouco no tom de um conferencista, mas na última frase o coronel o interrompeu dizendo:

— O senhor estava assobiando? E que tipo de apito o senhor usou? Faça essa jogada antes.

Intervalo.

— Sobre aquele apito que o senhor perguntava, coronel. É bastante curioso. Eu tenho isso no meu... não. Vejo que deixei no meu quarto. Na verdade, eu o encontrei ontem.

E então Parkins narrou a maneira como descobrira o apito, ao ouvir o que o coronel grunhiu, e opinou que, no lugar de Parkins, ele próprio deveria ter cuidado ao usar algo que pertencera a um grupo de papistas dos quais, por falar geralmente, pode-se afirmar que nunca se soube o que eles poderiam ou não fazer. Esse assunto divergiu para as grandezas do Vigário que havia dado a notícia, no domingo anterior, que na sexta-feira seria a festa do Apóstolo São Tomé e que haveria celebração na igreja às onze horas. Esse e outros processos semelhantes constituíram, na opinião do coronel, uma forte presunção de que o Vigário era um papista escondido, senão um jesuíta, e Parkins, que não poderia muito facilmente seguir o coronel nesse raciocínio, não discordou dele. De fato, eles haviam se dado tão bem juntos pela manhã, que não havia conversa de nenhum dos lados sobre um afastamento entre deles após o almoço.

Ambos continuaram a jogar bem durante a tarde ou, pelo menos, bem o suficiente para fazê-los esquecer todo o resto até que a luz começou a esmorecer. Só então Parkins lembrou-se de que ele tinha a intenção de fazer mais algumas investigações no preceptório, mas não eram de grande importância, refletiu. Um dia era tão bom quanto o outro, e ele poderia muito bem ir para casa com o coronel.

Quando viraram para o lugar da casa, o coronel quase foi derrubado por um garoto que correu em direção a ele no máximo de sua velocidade e então, em vez de fugir, permaneceu agarrado a ele, ofegante. As primeiras palavras do combatente foram naturalmente as de reprovação e censura, mas ele rapidamente discerniu que o menino estava quase sem palavras. Perguntas foram inúteis no início. Quando o menino começou a respirar, começou a chorar e se agarrou ainda mais às pernas do coronel. Ele foi finalmente afastado, mas continuou a chorar.

— Mas que diabos *há* de problema com você? O que deseja fazer? O que você viu? — perguntaram os dois homens.

— Oh! Eu o vi acenar da janela — lamentou o menino —, e eu não gosto disso.

— Que janela? — disse o irritado coronel. — Venha, recomponha-se, meu garoto.

— Era a janela da frente, no hotel — respondeu o menino.

Neste ponto Parkins era a favor de enviar o menino para casa, mas o coronel recusou. Ele queria chegar ao fundo daquilo. Ele disse que muito perigoso dar a um menino um susto como aquele, e, se descobrisse que as pessoas estavam fazendo brincadeiras, elas deveriam sofrer de algum modo. E por uma série de perguntas ele descobriu essa história: o menino estava brincando na grama em frente ao Globe com alguns outros. E então eles tinham ido para casa para seus chás e ele estava apenas indo, quando passou a olhar para a janela dianteira e ver algo acenar para ele. *Aquilo* parecia ser uma figura de algum tipo, em branco, tanto quanto ele sabia, não podia ver seu rosto. No entanto aquilo acenava para ele, e isso não era uma coisa certa, para não dizer que não era uma pessoa certa. Havia uma luz no quarto? Não, ele não pensou em olhar se havia uma luz. Qual era a janela? Foi a do topo ou a segunda? Era a segunda, a grande janela que tem duas pequeninas nas laterais.

— Muito bem, meu garoto — disse o coronel, depois de mais algumas perguntas. — Você vá correndo para casa agora. Espero que tenha sido uma pessoa tentando pregar-lhe uma peça. Mais uma vez, como um corajoso garoto britânico, você apenas joga uma pedra... Bem, não é exatamente isso, mas você vai e fala com o criado, ou com o Sr. Simpson, o proprietário, e, sim, diga que eu o aconselhei a fazê-lo.

O rosto do garoto expressou alguma dúvida ao sentir a probabilidade de que Sr. Simpson teria uma mente favorável à sua queixa, mas o coronel não pareceu perceber isso e continuou:

— E aqui estão seis *pence*... não, é um xelim. Fique fora de casa e não pense mais nisso.

O jovem correu com agradecimentos agitados, e o coronel e Parkins foram para a frente do Globe e reconheceram. Havia apenas uma janela respondendo à descrição que eles tinham ouvido.

— Bem, isso é curioso — disse Parkins. — Evidentemente, é da minha janela que o garoto estava falando. O senhor vai subir por um momento, Coronel Wilson? Devemos ser capazes de ver se alguém tem tomado liberdades em meu quarto.

Eles foram logo para o corredor e Parkins fez um movimento para abrir a porta. E então parou e tocou em seus bolsos.

— Isso é mais sério do que eu pensava — foi seu próximo comentário. — Eu me lembro agora que, antes de começar esta manhã, eu tranquei a porta. Ela está trancada agora e, além disso, aqui está a chave. — Ele mostrou-a e continuou. — Agora, se os criados têm o hábito de entrar no quarto durante o dia em que o hóspede está fora, só posso dizer que... bem, que não aprovo isso de modo algum.

Consciente de um clímax um pouco fraco, ele ocupou-se em abrir a porta (que estava de fato trancada) e em acender as velas ao dizer:

— Não, nada parece perturbado.

— Exceto sua cama — pontuou o coronel.

— Com licença, essa não é minha cama — interrompeu Parkins. — Eu não uso essa. Mas parece que alguém está pregando peças com ela.

Certamente estava: as roupas foram bagunçadas e reviradas juntas na mais enigmática confusão. Parkins ponderou e disse finalmente:

— Deve ser isso. Desordenei as roupas ontem à noite ao desempacotar e elas não conseguiram fazer nada desde então. Talvez elas tenham vindo para fazê-lo e o menino as viu através da janela e, então, elas foram chamadas e trancaram a porta depois de si. Sim, eu acho que deve ser isso.

— Bem, chame e pergunte — disse o coronel, e isso pareceu, para Parkins, algo prático.

A criada apareceu e, para criar uma grande história, declarou que ela havia feito a cama pela manhã quando o cavalheiro estava no quarto e não tinha estado lá desde então. Não, ela não possuía outra chave. O Sr. Simpson: ele, sim, tinha as chaves. Ele seria capaz de dizer ao cavalheiro se alguém esteve ali.

Isso era um enigma. A investigação mostrou que nada de valor havia sido levado, e Parkins lembrou-se da disposição dos pequenos objetos nas mesas, e assim por diante, bem o suficiente para ter certeza de que nenhuma brincadeira havia sido feita com eles. Sr. e Sra. Simpson concordaram ainda que nenhum deles tinha dado a cópia da chave do quarto a ninguém durante o dia. Nem Parkins, homem de mente justa como era, detectou qualquer coisa no comportamento do senhor, senhora ou criada que indicasse culpa. Ele estava muito mais inclinado a pensar que o menino estava enganando ao coronel.

Este último esteve inusitadamente silencioso e pensativo no jantar e no restante da noite. Quando se despediu com um boa-noite a Parkins, murmurou em um tom rabugento:

— O senhor sabe onde estou, se o senhor me quiser durante a noite.

— Ora, sim, obrigado, coronel Wilson, eu acho. Mas não tenho muita perspectiva de que eu venha a perturbá-lo, espero. De qualquer forma, eu mostrei-lhe o velho apito de que falei? Creio que não. Bem, aqui está!

O coronel virou-o cautelosamente em direção à luz da vela.

— O senhor pode concluir algo sobre a inscrição? — perguntou Parkins ao pegá-lo novamente.

— Não, não nesta luz. O que o senhor pretende fazer com isso?

— Oh, bem, quando eu voltar a Cambridge, vou submetê-lo a alguns dos arqueólogos lá e ver o que pensam sobre isso. E muito provavelmente, se eles considerarem que vale a pena tê-lo, posso apresentá-lo a um dos museus.

— Hum! — disse o coronel. — O senhor pode estar certo. Tudo o que sei é que, se fosse meu, deveria jogá-lo diretamente no mar. Não adianta falar, estou bem ciente, mas espero que com o senhor seja um caso de vida e aprendizado. Espero que sim, tenho certeza, e desejo-lhe uma boa-noite.

Ele se afastou, deixando Parkins em um movimento prestes a falar no fundo da escada, e logo cada um estava em seu próprio quarto.

Por algum infeliz acidente, não havia cortinas nem mesmo panos nas janelas do quarto do professor. Na noite anterior, ele tinha pensado pouco nisso, mas esta noite parecia haver todas as perspectivas de uma lua brilhante subindo para iluminar diretamente sua cama e, provavelmente, acordá-lo mais tarde. Ao perceber isso, estava muito irritado; mas, com uma engenhosidade que posso apenas invejar, ele conseguiu armar, com a ajuda de um tapete de trem, alguns alfinetes de segurança, um bastão, um guarda-chuva e uma tela que, se fosse mantida apenas unida, manteria o luar completamente fora de sua cama. Pouco depois ele estava confortável naquela cama. Quando havia lido uma obra um pouco difícil tempo suficiente para produzir um desejo decidido de dormir, lançou um olhar sonolento ao redor da sala, apagou a vela e jogou-se novamente sobre o travesseiro.

Ele deve ter dormido profundamente por uma hora ou mais, quando um barulho repentino o acordou de uma maneira indesejável. Em um momento ele percebeu o que tinha acontecido: sua tela cuidadosamente construída tinha cedido e uma lua muito brilhante e clara estava brilhando diretamente em seu rosto. Isso foi muito irritante. Ele poderia levantar-se e reconstruir a tela? Ou seria capaz de dormir se não o fizesse?

Por alguns minutos, ele deitou-se e ponderou as possibilidades. Então se virou bruscamente e, com o máximo de seus olhos abertos, estava sem fôlego ouvindo. Houve um movimento, ele tinha certeza, na cama vazia do lado oposto do quarto. No dia seguinte ele a teria movido, pois deveria haver ratos ou algo do tipo brincando sobre ela. Estava quieto agora. Não! O barulho iniciou novamente. Houve um sussurro e tremor: certamente mais do que qualquer rato poderia causar.

Posso imaginar algo sobre a perplexidade e o horror do professor, pois em um sonho, trinta anos antes, vi a mesma coisa acontecer. No entanto, o leitor dificilmente poderá imaginar como foi terrível para ele ver uma figura de repente sentar-se no que ele sabia ser uma cama vazia. Ele estava fora de sua própria cama em uma das bordas e fez um movimento em direção à janela, onde estava sua única arma: o bastão com o qual ele tinha apoiado sua tela. Esta foi, como notado, a pior coisa que ele poderia ter feito, porque o personagem na cama vazia, com um suave movimento repentino, deslizou da cama e assumiu uma posição, com braços abertos, entre as duas camas e na frente da porta.

Parkins assistiu àquilo com uma perplexidade horrível. De algum modo, a ideia de passar por ele e escapar através da porta era intolerável. Ele não poderia ter suportado (ele não sabia o motivo) tocá-lo. No entanto, quando aquilo estava prestes a encostar nele, preferiu correr em direção à janela do que permitir que isso acontecesse. Aquilo estava, naquele momento, em uma faixa de sombra escura e ele não havia visto como era seu rosto. Agora começava a se mover, em uma postura inclinada e, de repente, o espectador percebeu, com algum horror e algum alívio, que ele devia ser cego, pois parecia percebê-lo com seus braços cobertos numa forma aleatória de tatear. Virando-se um pouco distante dele, tornou-se subitamente consciente da cama que havia acabado de deixar e correu em direção a ela, inclinou-se e sentiu os travesseiros de uma maneira que fez Parkins estremecer como nunca em sua vida pensara ser possível. Em poucos momentos, parecia saber que a cama estava vazia, e, assim, movendo-se para a área de luz e de frente para a janela, mostrou pela primeira vez que tipo de coisa era.

Parkins, que não gosta muito de ser questionado sobre isso, uma vez descreveu algo dele na minha presença, e eu percebi que o que ele sobretudo se lembra sobre isso é um horrível, intensamente horrível rosto de *linho amassado*. Qual expressão ele viu através aquilo não podia ou não desejaria contar, mas é certo que o medo disso o estava deixando quase louco.

Mas ele não estava confortável para vê-lo por muito tempo. Com uma rapidez formidável, ele se moveu para o meio do quarto, tateou e acenou, e um canto de seus panos se arrastou sob o rosto de Parkins. Ele não podia — embora soubesse o quão perigoso era um som —, ele não conseguia conter um grito de nojo, e isso deu ao tateador uma pista instantânea. Aquilo saltou em direção a ele em um instante e, no momento seguinte, ele estava entre o meio da janela e a parte de trás, emitindo o lamento, o grito e o choro no tom máximo de sua voz, e o rosto de linho fora empurrado para perto do seu. Nesse momento, quase no último segundo, a libertação veio, como você deve ter adivinhado: o coronel abriu a porta e chegou bem a tempo de ver a terrível dupla na janela. Quando ele chegou até as figuras, restava apenas uma. Parkins caiu para frente no quarto em um desmaio, e diante dele, no chão, havia um monte de roupas de cama caídas.

"Saltou em direção a ele no mesmo instante." (James McBryde)

Coronel Wilson não fez perguntas, mas ocupou-se em manter todos os outros fora da sala e em levar Parkins de volta para sua cama. E ele mesmo, envolto em um tapete, ocupou a outra cama pelo resto da noite. No início do dia seguinte, Rogers chegou, mais bem-vindo do que teria sido um dia antes, e os três realizaram uma longa consulta no quarto do professor. No final deste, o coronel deixou a porta do hotel carregando um pequeno objeto entre o indicador e o polegar, o qual lançou no mar como só um braço muito corajoso seria capaz de lançá-lo. Mais tarde, a fumaça de uma queimada subiu das instalações dos fundos do Globe.

Exatamente qual explicação fora dada para os funcionários e visitantes da pousada, devo confessar que não lembro. O professor ficou de alguma forma livre da suspeita pronta de grandes delírios, bem como o hotel da reputação de uma casa perturbada.

Não há muita dúvida sobre o que teria acontecido com Parkins se o coronel não tivesse intervindo como fez. Ele poderia ter caído da janela e perdido a consciência. Mas não é tão evidente o que mais a criatura que aparecera em resposta ao apito poderia ter feito além de assustar. Não parecia haver absolutamente nada material sobre aquilo, exceto as roupas de cama das quais havia feito um corpo. O coronel, que se lembrou de uma ocorrência não muito diferente na Índia, era da opinião que, se Parkins estivesse trancado com ele, poderia realmente ter feito muito pouco, e que seu único poder era o de assustar. A coisa toda, ele disse, serviu para confirmar sua opinião sobre a Igreja de Roma.

Não há nada mais para dizer, como você pode imaginar, mas as opiniões do professor sobre certos pontos são menos claras do que costumavam ser. Seus nervos, também, sofreram: ele não pode mesmo agora ver uma roupa pendurada em uma porta bastante imóvel, e o espetáculo de um espantalho em um campo ao fim de uma tarde de inverno custou-lhe mais de uma noite sem dormir.

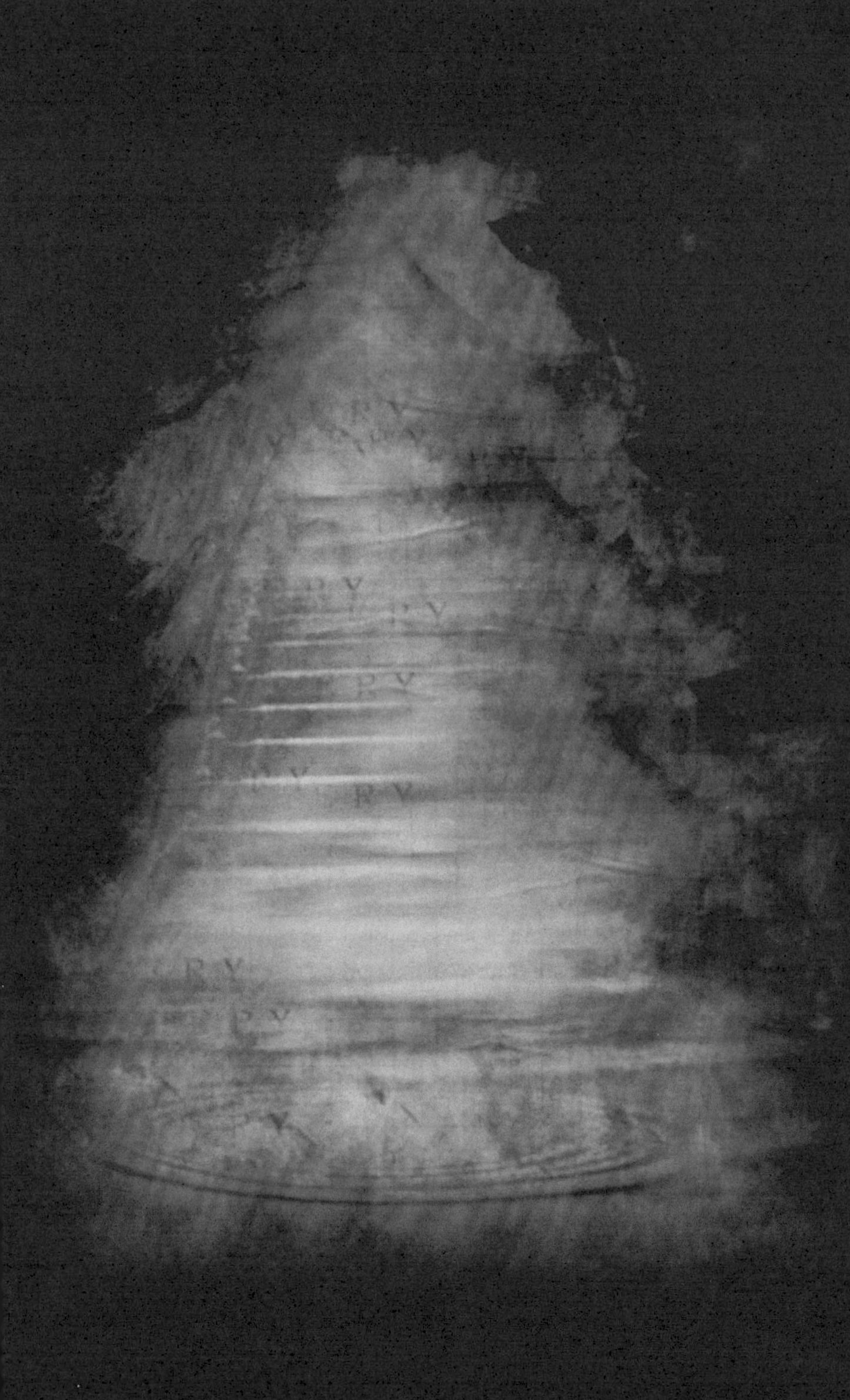

O Tesouro do Abade Thomas

1

Verum usque in praesentem diem multa garriunt inter se Canonici de abscondito quodam istius Abbatis Thomae thesauro, quem saepe, quanquam adhuc incassum, quaesiverunt Steinfeldenses. Ipsum enim Thomam adhuc florida em aetate existentem ingentem auri massam circa monasterium defodisse perhibent. De quo multoties interrogatus ubi esset, cum risu respondere solitus erat: "Job, Johannes et Zacharias vel vobis vel posteris indicabunt". Idemque aliquando adiicere se inventuris minime invisurum. Inter alia huius Abbatis opera, hoc memoria praecipue dignum iudico quod fenestram magnam in orientali parte alae australis in ecclesia sua imaginibus optime in vitro depictis impleverit: id quod et ipsius effigies et insignia ibidem posita demonstrant. Domum quoque Abbatialem ferae totam restauravit: puteo in atrio ipsius effosso et lapidibus marrno-

reis pulchre caelatis exornato. Decessit autem, morte aliquantulum subitanea perculsus, aetatis suae anno lxxii^{do}, incamationis vero Dominicae mdxxix(o).

— Suponho que terei de fazer uma tradução disso — disse o antiquário a si mesmo, ao terminar de copiar as linhas acima daquele livro bastante raro e excessivamente difuso, o *Sertum Steinfeldense Norbertinum*.[11] — Bem, isso pode muito bem ser feito mais cedo ou mais tarde.

E assim a seguinte tradução foi produzida muito rapidamente:

Até os dias de hoje, há muita indiscrição entre os cônegos sobre certo tesouro escondido desse Abade Thomas, pelo qual alguns de Steinfeld frequentemente procuraram, embora até agora em vão. A história é que Thomas, embora ainda no vigor da vida, escondeu uma grande quantidade de ouro em algum lugar do monastério. Frequentemente perguntavam onde estava e ele sempre respondia, com uma risada: "Jó, João e Zacarias contarão ao senhor ou a seus sucessores". Ele às vezes acrescentava que não deveria sentir rancor daqueles que poderiam encontrá-lo. Entre outras obras realizadas por esse abade, posso mencionar especialmente o seu preenchimento da

---

11. Um relato da Abadia da Ordem de São Norberto de Steinfeld, em Eiffel, com vidas de abades, publicado em Cologne em 1712 por Christian Albert Erhard, um residente do distrito. O epíteto *Norbertinum* é devido ao fato de que São Norberto foi o fundador da Ordem Premonstratense, ou ordem de São Norberto.

grande janela do extremo leste da ala lateral sul da igreja com figuras admiravelmente pintadas em vidro, como são vistas na imagem e nos lados da janela. Ele também restaurou quase todo o alojamento do Abade e cavou um poço no pátio, o qual adornou com belas esculturas em mármore. Ele morreu repentinamente no septuagésimo segundo ano de sua vida, 1529 d.C.

O objetivo que o antiquário tinha no momento diante de si era rastrear o paradeiro das janelas pintadas da Abadia Cristã de Steinfeld. Pouco depois da Revolução, uma grande quantidade de vidro pintado fez o seu caminho das abadias desfeitas da Alemanha e da Bélgica para este país, e agora pode ser vista adornando várias de nossas igrejas paroquiais, catedrais e capelas privadas. A Abadia de Steinfeld estava entre os mais consideráveis desses contribuintes involuntários para nossas posses artísticas (cito a introdução um tanto pesada do livro escrito pelo o antiquário). A maior parte do vidro dessa instituição pode ser identificada sem muita dificuldade pela ajuda, quer das numerosas inscrições em que o lugar é mencionado, quer dos temas das janelas, nas quais se representavam vários ciclos ou narrativas bem definidas.

A passagem com a qual comecei minha história havia levado o antiquário a uma pista de outra identificação. Em uma capela privada — não importa onde —, ele havia visto três grandes figuras, cada uma ocupando uma luz inteira em uma janela; evidentemente o trabalho de um artista. Seu estilo deixava claro que aquele artista era um alemão do século XVI, mas até então a localização mais exata deles fora um enigma. Eles representavam — o leitor ficará surpreso em ouvir isso? — o Patriarca Jó, o Evangelista João e o Profeta Zacarias; cada um deles segurava um livro ou pergaminho, marcado com uma frase de seus escritos. Esses, naturalmente, o antiquário notou, e ficou impressionado com a curiosa maneira como eram diferentes de qualquer texto da Vulgata que ele fosse capaz de examinar. Assim, o pergaminho na mão de Jó tinha inscrito:

Auro est locus in quo absconditur (para "conflatur") [12]

No livro de João estava:

Habent in vestimentis suis scripturam quam nemo novit [13]

E em Zacarias havia:

Super lapidem unum septem oculi sunt (o único dos três que apresenta um texto inalterado[14]).

Foi uma triste perplexidade para nosso investigador pensar no motivo pelo qual essas três personagens deveriam ter sido colocadas juntas em uma janela. Não havia vínculo de conexão entre elas, fosse histórico, fosse simbólico, fosse doutrinário, e ele poderia apenas supor que deviam ter feito parte de uma série

---

12. Há um lugar onde se esconde o ouro. Jó 28:1

13. Eles têm em suas vestes uma escrita que nenhum ser humano conhece. (Para *in vestimento scriptum*, as seguintes palavras sendo tiradas de outro verso)

14. Sobre esta pedra única estão sete olhos. Zacarias 3:9

muito grande de profetas e apóstolos que poderia ter preenchido, digamos, todas as janelas do lado de alguma espaçosa igreja. No entanto, a passagem do *Sertum* alterou a situação ao mostrar que os nomes dos personagens reais representados no vidro agora na capela de Lord D. estavam constantemente nos lábios do Abade Thomas von Eschenhausen de Steinfeld, e que este Abade havia colocado uma janela pintada, provavelmente por volta do ano de 1520, na ala sul de sua abadia cristã.

Não era uma suposição muito ousada que as três figuras pudessem ter feito parte da oferta do Abade Thomas. Além disso, provavelmente essa suposição poderia ser confirmada ou anulada por um outro exame cuidadoso do vidro. E, como o Sr. Somerton era um homem ocioso, partiu em peregrinação à capela privada com muito pouco atraso. Sua suposição foi inteiramente confirmada. Não só o estilo e a técnica do vidro combinavam perfeitamente com a data e o local requeridos, mas em outra janela da capela ele encontrou um pouco de vidro, sabidamente comprado junto com as figuras, e que continham o brasão do Abade Thomas von Eschenhausen.

Em intervalos durante suas pesquisas, Sr. Somerton tinha sido assombrado pela lembrança da indiscrição a respeito do tesouro escondido e, conforme refletia sobre o assunto, tornava-se cada vez mais óbvio para ele que, se o abade desejou dizer algo com a enigmática resposta que dava aos seus questionadores, ele poderia ter mencionado que o segredo poderia ser encontrado em algum lugar da janela que ele colocara na igreja da abadia. Além disso, era inegável que o primeiro dos textos curiosamente selecionados nos pergaminhos da janela pudesse ser considerado como uma referência a um tesouro escondido.

Ele tinha certeza, portanto, de que registrou com minucioso cuidado cada característica ou marca que pudesse ajudar a desvendar o enigma e que o abade havia deixado para a posteridade. Voltando para sua mansão em Berkshire, consumiu muitas doses de seu licor sobre seus traços e esboços. Depois de duas ou três semanas, chegou o dia em que Sr. Somerton anunciou a seu criado que deveria fazer as malas para uma curta viagem ao exterior, para onde, por enquanto, não o seguiremos.

2

Sr. Gregory, o superior de Parsbury, havia saído antes do café da manhã, sendo numa bela manhã de outono, até a porta de sua carroça com a intenção de encontrar o carteiro e respirar ar fresco. Tampouco ficou desapontado com os dois propósitos. Antes que ele tivesse tempo de responder a mais de dez ou onze das confusas questões que lhe foram propostas pela leveza dos corações de seus filhos, que o acompanhavam, o carteiro foi visto aproximando-se e, entre as contas da manhã, havia uma carta com um selo e um carimbo estrangeiro (que se tornaram imediatamente objetos de uma competição acirrada entre os jovens Gregorys), endereçada por uma letra pouco educada, mas claramente britânica.

Quando o superior abriu-a e examinou a assinatura, percebeu que era do confidente criado de seu amigo e senhor, Sr. Somerton. Assim era apresentada:

Honrado senhor,

Estou muito ansioso pelo ocorrido com o mestre. Escrevo em desejo de implorar, senhor, se pudesse ser tão bom e visitá-lo. Mestre sofreu um desagradável choque e está mantido em sua cama. Eu nunca o havia visto dessa maneira, mas não creio que nada servirá, senhor, tanto quanto o senhor. O mestre disse-me para mencionar o curto caminho até aqui, que é dirigir até Cobblince e pegar um atalho.

Esperando ter tornado tudo simples, digo que estou muito confuso comigo mesmo, com ansiedade e fraqueza à noite. Se pudesse ser tão corajoso, senhor, seria um prazer ver uma honesta face britânica em meio a todos esses estrangeiros.

Aqui estou, senhor,
Seu obediente servo
William Brown.

P. S. — A Vila para a cidade aonde não vou voltar é Steenfeld.

O leitor deve ser deixado a imaginar consigo mesmo em detalhes a surpresa, a confusão e a pressa de preparação em que o recebimento de tal carta provavelmente mergulharia um pacato presbitério de Berkshire no ano de graça de 1859. É suficiente dizer que um trem para a cidade foi pego durante o dia e que Sr.

Gregory conseguiu garantir uma cabine em um barco da Antuérpia e um lugar no trem Coblentz. Nem foi difícil lidar com a viagem desse centro a Steinfeld.

Eu trabalho em grave desvantagem como narrador desta história, pois nunca visitei Steinfeld pessoalmente, e nenhum dos principais atores do episódio (dos quais derivam minhas informações) foi capaz de dar-me qualquer coisa além de uma vaga e bastante sombria ideia de sua aparência. Imagino que seja um lugar pequeno, com uma grande igreja colocada entre suas antigas construções, uma série de grandes edifícios em ruínas, principalmente do século XVII, rodeie esta igreja. A abadia, assim como a maioria das do continente, foi reconstruída de maneira luxuosa por seus habitantes da época. Não me pareceu valer a pena gastar dinheiro em uma visita ao lugar, pois, embora seja provavelmente muito mais atraente do que Sr. Somerton ou Sr. Gregory pensaram, há evidentemente pouco ou nada de verdadeiro interesse a ser visto, exceto, talvez, uma coisa que eu talvez não desejasse ver.

A estalagem em que o cavalheiro britânico e seu criado estavam hospedados é, ou era, a única *possível* na vila. Sr. Gregory foi levado imediatamente até lá por seu cocheiro e encontrou Sr. Brown esperando na porta. Sr. Brown, um modelo quando em sua casa em Berkshire do impassível tipo de bigodes, conhecidos como confidenciais valetes, estava agora flagrantemente fora de seu ambiente em um leve terno de *tweed*, ansioso, quase irritado, e claramente tudo menos o dono da situação. Seu alívio ao ver a "honesta face britânica" de seu superior não foi medido, mas as palavras para descrevê-lo lhe foram negadas. Ele foi capaz de apenas dizer:

— Bem, estou honrado, tenho certeza, em vê-lo, senhor. E

tenho certeza, senhor, o mestre também estará.

— Como está *seu* mestre, Brown? — perguntou ansiosamente Sr. Gregory.

— Acho que ele está melhor, senhor, obrigado, mas ele passou por um período terrível. Eu espero que ele esteja dormindo um pouco agora, mas...

— Qual é o problema? Não fui capaz de compreender pela sua carta. Foi algum tipo de acidente?

— Bem, senhor, não sei muito bem se é melhor falar sobre isso. O Mestre estava de um modo muito específico, deveria ser ele a lhe dizer. Mas não há ossos quebrados. Isso é uma coisa pela qual, tenho certeza, devemos ser gratos...

— O que o médico disse? — perguntou Sr. Gregory.

A essa altura, eles estavam do lado de fora da porta do quarto de Sr. Somerton e falando em voz baixa. Sr. Gregory, que por acaso estava na frente, estava tateando a maçaneta e por acaso passou os dedos pelos painéis. Antes que Brown pudesse responder, ouviu-se um grito terrível dentro do quarto.

— Em nome de Deus, quem está aí? — Foram as primeiras palavras que ouviram. — Brown está aí?

— Sim, senhor... eu, senhor, e o Sr. Gregory — Brown se apressou em responder, e houve um audível gemido de alívio em resposta.

Eles entraram no quarto, que estava protegido do sol da tarde, e Sr. Gregory viu, com um choque de piedade, como estava abatido e úmido com gotas de medo o rosto normalmente calmo de seu amigo, que, sentado na cama forrada, estendeu a mão trêmula para recebê-lo.

— Melhor ao vê-lo, meu caro Gregory. — Foi a resposta à primeira pergunta do superior, e era claramente verdadeira.

Depois de cinco minutos de conversa, Sr. Somerton era mais dono de si mesmo, Brown relatou depois, do que havia sido durante dias. Ele foi capaz de comer um jantar mais do que respeitável e falou com segurança que estaria pronto para uma viagem a Coblentz dentro de vinte e quatro horas.

— Mas há uma coisa que devo implorar que faça por mim, meu caro Gregory — disse ele, com um retorno da agitação que Sr. Gregory não gostou de ver e continuou, colocando a mão sobre a de Gregory para evitar qualquer interrupção. — Não. Não me pergunte o que é ou porquê quero que seja feito. Não estou em condições de explicar ainda. Isso me faria retornar, desfaria todo o bem que o senhor me fez com sua chegada. A única palavra que direi sobre isso é que o senhor não corre risco algum ao fazê-lo e que Brown pode e vai mostrar-lhe amanhã do que se trata. É apenas devolver... manter... algo. Não! Ainda não posso falar sobre isso. O senhor se importa em chamar Brown?

— Bem, Somerton — disse Sr. Gregory, enquanto cruzava o quarto em direção à porta —, não vou pedir explicações até que decida dar. E se essa questão é tão fácil quanto o senhor afirma ser, terei o maior prazer em resolvê-la logo pela manhã.

— Ah, eu tinha certeza de que sim, meu querido Gregory. Eu estava certo de que poderia contar com o senhor. Devo mais agradecimentos do que sou capaz de dizer. Agora, aqui está Brown. Brown, desejo falar com você.

— Devo retirar-me? — interrompeu Sr. Gregory.

— Claro que não. Meu Deus, não. Brown, a primeira coisa amanhã de manhã (o senhor não se importa com a madrugada, eu sei, Gregory): deve levar o superior até… *lá*, você sabe — um aceno de Brown, que parecia sério e ansioso. E ele e você colocarão aquilo de volta. Você não precisa estar nem um pouco assustado, é *perfeitamente* seguro durante o dia. Você sabe o que quer dizer. Encontra-se no degrau, você sabe, onde… onde o colocamos.

Brown engoliu em seco uma ou duas vezes e, não conseguindo falar, fez uma reverência.

— E… sim, isso é tudo. Apenas mais uma palavra, meu caro Gregory. Se conseguir evitar questionar Brown a respeito desse assunto, estarei ainda mais grato ao senhor. Amanhã à noite, o mais tardar, se tudo correr bem, poderei, creio eu, contar-lhe toda a história do início ao fim. E agora desejo-lhe uma boa noite. Brown estará comigo, ele dorme aqui; e, se fosse o senhor, trancaria a porta. Sim, é importante que faça isso. Eles… eles gostam disso, das pessoas aqui, e assim é melhor. Boa noite, boa noite.

Eles se separaram, e, se Sr. Gregory acordou uma ou duas vezes durante a madrugada e imaginou ter ouvido um barulho na parte inferior de sua porta trancada, talvez tenha sido nada mais do que um homem quieto, repentinamente mergulhado em um cama estranha e no centro de um mistério. É o que razoavelmente se poderia esperar. Certamente ele pensou, até o fim de seus dias, que ouvira tal som duas ou três vezes entre a meia-noite e o amanhecer.

Ele se levantou com o sol e logo depois saiu na companhia de Brown. Por mais intrigante que fosse o serviço que ele fora convidado a prestar ao Sr. Somerton, não foi difícil nem alarmante, e, em meia hora desde sua saída da estalagem, tudo havia acabado. O que era eu não divulgarei ainda.

Mais tarde, naquela manhã, Sr. Somerton, agora quase ele mesmo, conseguiu partir de Steinfeld, e naquela mesma noite, fosse em Coblentz, fosse em algum estágio intermediário da viagem, não tenho certeza, ele se debruçou sobre a prometida explicação. Brown estava presente; mas quanto do assunto realmente ficou claro para sua compreensão, ele nunca disse e não sou capaz de imaginar.

3

Esta era a história de Sr. Somerton:

— Os senhores sabem aproximadamente, os dois, que esta minha expedição foi realizada com o objetivo de rastrear algo em conexão a algum antigo vidro pintado na capela privada de Lorde D. Bem. O ponto de partida de toda a questão está nesta passagem de um antigo livro impresso, para o qual pedirei a atenção dos senhores.

E neste ponto Sr. Somerton examinou cuidadosamente alguns assuntos com os quais já estamos familiarizados e continuou:

— Em minha segunda visita à capela, meu propósito era tomar nota de tudo que pudesse sobre figuras, letras, pedaços de diamante no vidro e até marcações aparentemente acidentais. O primeiro ponto de que tratei foi o dos pergaminhos inscritos. Eu não poderia duvidar que o primeiro deles, o de Jó, *Há um lugar onde se esconde o ouro*, com a alteração intencional, deveria referir-se ao tesouro. Então me dediquei com alguma confiança ao próximo, o de São João, *Eles têm em suas vestes uma escrita que nenhum ser humano conhece*. A pergunta natural deve ocorrer-lhes: havia uma inscrição nas vestes das figuras? Eu não conseguia ver nenhuma. Cada um dos três tinha uma ampla borda preta em seu manto, que fazia uma linha visível e bastante feia na janela. Eu estava perplexo, reconheço; e, se não fosse por um pouco de sorte, poderia ter deixado a busca onde os Cônegos de Steinfeld a haviam deixado antes de mim. Aconteceu, porém, que havia uma boa quantidade de poeira na superfície do vidro, e Lorde D., entrando por acaso, notou minhas mãos sujas e gentilmente insistiu em mandar uma vassoura para limpar a janela. Deve ter havido, suponho, um pedaço áspero na vassoura, que, de qualquer maneira, ao passar pela borda de um dos mantos, notei que deixara um longo arranhão e que uma mancha amarela instantaneamente apareceu. Pedi ao homem que parasse de trabalhar por um momento e subi correndo na escada para examinar o local. A mancha amarela estava lá, com certeza, e o que havia saído era um espesso pigmento preto, que evidentemente havia sido aplicado com uma escova depois que o vidro fora queimado e, portanto, poderia ser facilmente raspado sem causar dano algum. Realizei a raspagem em seguida e o senhor dificilmente acreditará (não, eu lhe faço uma injustiça, o senhor já deve ter adivinhado) que encontrei sob esse pigmento preto duas ou três letras maiúsculas claramente formadas em cor amarela em um fundo claro. Evidentemente, mal pude conter meu deleite. Disse a Lorde D. que havia detectado uma inscrição que achei muito interessante e implorei para descobrir tudo. Ele não impôs dificuldade alguma com relação a isso. Disse-me para fazer exatamente o que quisesse e então, por ter um noivado, foi obrigado, para meu alívio, devo dizer, a deixar-me. Comecei a trabalhar imediatamente e achei a tarefa bastante fácil. O pigmento, fragmentado, é claro, com o tempo saía quase com um toque, e não acho que demorei muito além de algumas horas ao todo para limpar todas as bordas pretas nas três imagens. Cada uma das figuras possuía, como dizia a inscrição, "uma escrita em suas vestes que ninguém conhecia". Essa descoberta, é claro, deixou absolutamente certo para mim que estava no caminho correto. E, agora, qual era a inscrição? Enquanto limpava o vidro, quase me esforcei para não ler as letras, guardando a guloseima até esclarecer tudo. E quando *tudo* foi feito, meu querido Gregory, garanto-lhe que quase poderia ter chorado de pura decepção. O que li foi apenas a mais desesperada confusão de letras que já fora misturada dentro de um chapéu.

Aqui está:

Jó   DREVICIOPEDMOOMSMVIV
        LISLCAVIBASBATAOVT

São João RIDIIEAMRLESIPVSPODSEEIR
           SETTAAESGIAVNNR

Zacarias FTEEAILNQDPVAIVMTLE
           EATTOHIOONVMCAAT.H.Q.E.

— Por mais vazio que me tenha sentido olhando nos primeiros minutos, minha decepção não durou muito. Percebi quase imediatamente que estava lidando com um código ou criptograma e refleti que provavelmente era de um tipo bem simples, considerando sua data antiga. Então, copiei as letras com o mais ansioso cuidado. Outro pequeno ponto, devo dizer, apareceu no processo que confirmou minha crença no código. Depois de copiar as letras do manto de Jó, contei-as, para ter certeza de que estava certo. Havia trinta e oito e, assim que terminei de examiná-las, meus olhos pousaram em um arranhão feito com uma ponta afiada no limite da borda. Era simplesmente o número XXXVIII em algarismos romanos. Para encurtar o assunto, havia uma anotação semelhante (posso chamá-la assim), em cada uma das outras imagens, e isso deixou claro para mim que o pintor de vidro recebera ordens muito estritas do Abade Thomas sobre a inscrição e se esforçara para fazê-la corretamente. Bem, depois dessa descoberta, o senhor pode imaginar como examinei minuciosamente toda a superfície do vidro em busca de mais esclarecimentos. Claro, não negligenciei a inscrição no pergaminho de Zacarias, *"sobre esta pedra única estão sete olhos"*, mas concluí rapidamente que aquilo deveria referir-se a alguma marca em uma pedra que poderia ser encontrada apenas *in situ*, onde o tesouro estava escondido. Para resumir, fiz todas as anotações, esboços e traçados possíveis e depois voltei a Parsbury para trabalhar no código à vontade. Oh, as agonias que passei! No início, achei-me muito inteligente, pois me certifiquei de que a chave seria encontrada em alguns dos livros antigos sobre escrita secreta. O *Steganographia* de Joachim Trithemius, que foi um contemporâneo anterior ao Abade Thomas, parecia particularmente promissor; então eu peguei esse, *Cryptographia* de Selenius, *De Augmentis Scientiarium* de Bacon e alguns outros. Mas não consegui acertar em nada. Depois experimentei o princípio da "letra mais frequente", tomando primeiro o latim e depois o alemão como base. Isso também não ajudou. Se pudesse ter sido assim, não tenho certeza. E então eu voltei para a janela e li minhas anotações, procurando quase sem esperança de que o próprio abade pudesse ter fornecido em algum lugar a chave que eu desejava. Eu não conseguia compreender nada a partir da cor ou do padrão das vestes. Não havia fundos de paisagem com objetos secundários, não havia nada nas bordas. O único recurso possível parecia estar nas atitudes das figuras. E então li:

> *Jó: pergaminho na mão esquerda, dedo indicador da mão direita estendido para cima. João: segura o livro com inscrições na mão esquerda; com a mão direita abençoa, com dois dedos. Zacarias: rolo na mão esquerda, mão direita estendida para cima, como Jó, mas com três dedos apontando para cima.*

— Em outras palavras, refleti, Jó tem *um* dedo estendido, João tem *dois*, Zacarias tem *três*. Não pode haver uma chave numérica escondida nisso? Meu caro Gregory — disse Sr. Somerton, colocando a mão no joelho do amigo —, isso *era* a chave. Não consegui encaixar no início, mas, depois de duas ou três tentativas, vi o que significava. Após a primeira letra da inscrição, deve-se pular *uma letra*, depois da próxima deve-se pular duas e depois disso deve-se pular *três*. Agora veja o resultado que obtive. Sublinhei as letras que formam as palavras:

DREVICIOPEDMOOMSMVIVLISLCAVIBASBATAOVT
RDIIEAMRLESIPVSPODSEEIRSETTAAESGIAVNNR

FTEEAILNQDPVAIVMTLEEATTOHIOONVMAAT.H.QE.

— O senhor está vendo? *Decem millia auri reposita sunt in puteo in at...* Dez mil (peças) de ouro são depositadas em um poço em... seguidas por uma palavra incompleta começando por *at*. Tudo bem. Tentei o mesmo plano com as letras restantes, mas não funcionou e imaginei que talvez a colocação de pontos após as três últimas letras pudesse indicar alguma diferença de procedimento. Então eu pensei comigo mesmo... Não havia alguma alusão a um poço no relato do Abade Thomas naquele livro o *Serturm*? Sim, havia. Ele construiu um *puteus in atrio* (um poço no pátio). Lá, é claro, estava minha palavra *atrio*. O próximo passo foi copiar as letras restantes da inscrição, omitindo as que eu já havia usado. Isso deu o que o senhor verá a seguir:

RVIIOPDOOSMVVISCAVBSBTAOTDIEAM
LSIVSPDEERSETAEGIANRFEEALQDVAI
MLEATTHOOVMCA.H.Q.E.

— Agora, eu sabia quais eram as três primeiras letras que eu queria, vale dizer, *rio*, ao completar a palavra *atrio*, e, como o senhor verá, tudo isso pode ser encontrado nas primeiras cinco letras. Fiquei um pouco confuso no início com a ocorrência de dois *i*, mas logo vi que todas as letras alternadas deveriam ser tiradas no restante da inscrição. O senhor pode resolver isso sozinho. O resultado, continuando de onde a primeira "rodada" havia parado, é este:

rio domus abbatialis de Steinfeld a me, Thoma, qui

posui custodem super ea. Gare à qui la touche.

— Então, todo o segredo foi revelado:

Dez mil peças de ouro estão guardadas no poço no pátio da casa do Abade de Steinfeld por mim, Thomas, que designei um guardião para elas. Gare à qui la touche[15].

As últimas palavras, devo dizer, são um artifício que Abade Thomas adotou. Eu o encontrei com seu brasão em outro pedaço de vidro na casa de Lorde D., e ele o redigiu fisicamente em seu código, embora não se encaixe exatamente no ponto da gramática. Bem, o que qualquer ser humano se sentiria tentado a fazer, meu caro Gregory, em meu lugar? Ele poderia ter ajudado a partir, como eu fiz, para Steinfeld e rastrear o segredo literalmente até a fonte? Eu não acredito que ele pudesse. De qualquer forma, eu não pude e, como não preciso dizer, encontrei-me em Steinfeld assim que os recursos da civilização puderam colocar-me lá, e me instalei na estalagem que o senhor viu. Devo dizer-lhe que não estava totalmente livre de pressentimentos, de um lado de decepção e de outro do perigo. Sempre havia a possibilidade de que o poço do Abade Thomas pudesse ter sido totalmente destruído ou então que alguém, ignorante de criptogramas e guiado apenas pela sorte, pudesse ter tropeçado no tesouro antes de mim. E então...

Houve um tremor muito perceptível de voz aqui e ele con-

---

15. N.T.: "Cuidado com quem o toca."

tinuou:

— Não foi inteiramente fácil, não preciso confessar, quanto ao significado das palavras a respeito do guardião do tesouro. Mas, se o senhor não se importar, não direi mais sobre isso até... até que se mostre necessário. Na primeira oportunidade possível, Brown e eu começamos a explorar o lugar. Eu naturalmente tinha me apresentado como interessado na construção da abadia, e não podíamos deixar de fazer uma visita à igreja, impaciente como eu estava por estar em outro lugar. Ainda assim, interessou-me ver as janelas onde o vidro tinha estado, especialmente aquela na extremidade leste da ala sul. À luz da rosácea, fiquei surpreso ao ver alguns fragmentos e brasões de armas restantes: o escudo do Abade Thomas estava lá, e uma pequena figura com um pergaminho com a inscrição:

Oculos habent, et non videbunt[16]

— O que, suponho, foi um golpe do Abade em seus cônegos. Mas, é claro, o objetivo principal era encontrar a casa do Abade. Não há um lugar prescrito para isso, pelo que sei, no plano de um monastério. O senhor não pode prever isso, como é possível prever que a sala do capítulo será do lado oriental do monastério ou, que aquele do dormitório se comunicará com uma galeria transversal da igreja. Eu senti que, se fizesse muitas perguntas, poderia despertar lembranças remanescentes do tesouro e, assim, achei melhor tentar primeiro descobri-lo sozinho. Não foi uma busca muito longa ou difícil. Aquele pátio de três lados a sudeste

---

16. Eles têm olhos, e não verão

da igreja, com pilhas desertas de construção ao redor e o chão coberto de grama, que o senhor viu esta manhã, era o lugar. E fiquei muito contente ao ver que não era usado, não ficava nem muito longe de nossa estalagem nem era observado por alguma construção habitada. Havia apenas pomares e cercados nas encostas a leste da igreja. Posso dizer que aquela pedra fina brilhava maravilhosamente no pôr do sol amarelo claro que tivemos na tarde de terça-feira. Em seguida, que tal o poço? Não havia muita dúvida sobre isso, como o senhor é capaz de testemunhar. É realmente algo notável. Essa borda é, creio eu, de mármore italiano, e penso que a escultura seja italiana também. Houve alívio, o senhor talvez se lembre, de Eliezer e Rebeca, e de Jacó abrindo o poço para Raquel e assuntos semelhantes. No entanto, para eliminar as suspeitas, suponho, o Abade se absteve cuidadosamente de qualquer de suas cínicas e alusivas inscrições. Examinei toda a estrutura com o maior interesse, é claro: um buraco de poço quadrado com uma abertura em um dos lados. Havia um arco sobre ela, com uma roda para a passagem da corda, evidentemente em muito bom estado, pois fora usada havia sessenta anos, ou talvez até mais tarde, embora não muito recentemente. Depois, havia a questão da profundidade e do acesso ao interior. Eu imaginei que a profundidade fosse de cerca de 18 a 20 metros e, quanto ao outro ponto, realmente parecia como se o Abade tivesse desejado conduzir os caçadores até a verdadeira porta do local de seu tesouro, pois, como o senhor viu por si mesmo, havia grandes blocos de pedra colados na alvenaria conduzindo para baixo em uma escada regular que dava voltas e voltas no interior do poço. Parecia bom demais para ser verdade. Eu me perguntei se haveria uma armadilha, se as pedras estavam planejadas para tombar quando um peso fosse colocado sobre elas, mas fiz a tentativa com meu próprio peso e com minha bengala e todas pareciam, e realmente estavam, perfeitamente firmes. Claro, resolvi que Brown e eu faríamos uma experiência naquela mesma noite. Eu estava bem preparado. Sabendo o tipo de lugar que deveria explorar, trouxe uma quantidade suficiente de uma boa corda e de tiras de tecido para enrolar meu corpo e barras para segurar, assim como lanternas e velas e pés de cabra. Tudo isso iria para uma única bolsa de mão e não despertaria suspeitas. Convenci-me de que minha corda seria longa o suficiente e que a roda para o balde estava em boas condições e, então, voltamos para casa para o jantar. Tive uma pequena conversa cautelosa com o proprietário e descobri que ele não ficaria muito surpreso se eu fosse passear com o meu criado por volta das nove horas, para fazer (que Deus me perdoe!) um esboço da abadia ao luar. Não fiz perguntas sobre o poço e provavelmente não farei isso agora. Acho que sei tanto sobre isso quanto qualquer pessoa em Steinfeld: pelo menos — afirmou com forte estremecimento — não quero saber mais.

— Agora chegamos à crise e, embora odeie pensar nisso, tenho certeza, Gregory, de que será melhor para mim, em todos os sentidos, recontá-la exatamente como aconteceu. Começamos Brown e eu por volta das nove com nossa bolsa e não atraímos atenção, pois conseguimos escapar pela outra extremidade do pátio da estalagem até um beco que nos levou até o limite da vila. Em cinco minutos estávamos no poço e, por algum tempo, sentamo-nos na beira da fonte para ter certeza de que ninguém estava se movendo ou espionando-nos. Tudo o que ouvimos foram alguns cavalos comendo grama fora de vista mais abaixo na encosta leste. Estávamos perfeitamente despercebidos e tínhamos bastante luz da linda lua cheia para que pudéssemos colocar a corda adequadamente sobre a roda. Em seguida, coloquei a tira ao redor do meu corpo por baixo dos braços. Prendemos a ponta da corda com muita segurança a um anel na pedra. Brown pegou a lanterna acesa e me seguiu, e eu tinha um pé de cabra. Então começamos a descer com cautela, sentindo cada passo antes de pisar e examinando as paredes em busca de qualquer pedra marcada. Em voz alta, contei os degraus enquanto descíamos e chegamos até o trigésimo oitavo antes de notar qualquer coisa irregular na superfície da alvenaria. Mesmo aqui não havia nenhuma marca; e comecei a me sentir pálido e a me perguntar se o código do abade poderia ser uma elaborada fraude. No quadragésimo nono degrau, a escada acabou. Foi com o coração muito apertado que comecei a refazer meus passos e, quando voltei ao trigésimo oitavo — Brown estava com a lanterna, estando um ou dois degraus acima de mim —, examinei o pouco de irregularidade na alvenaria com todo meu conhecimento, mas não havia vestígio de marca alguma. Então me ocorreu que a textura da superfície parecia apenas um pouco mais lisa que o resto, ou, pelo menos, diferente de algum modo. Poderia ser de cimento e não de pedra. Dei um bom golpe com minha barra de ferro. Houve um som decididamente oco, embora isso pudesse ser o resultado de estarmos em um poço. Mas havia mais. Uma grande lasca de cimento caiu sobre meus pés e vi marcas na parte debaixo da pedra. Eu havia rastreado o Abade, meu querido Gregory; até agora penso nisso com certo orgulho. Demorou apenas mais algumas batidas para limpar todo o cimento e vi uma placa de pedra com cerca de sessenta centímetros quadrados, na qual estava gravada uma cruz. Decepção novamente, mas apenas por um momento. Foi você, Brown, quem me tranquilizou com um comentário casual. Você disse, se me lembro bem: "É uma cruz engraçada, parecem um monte de olhos". Peguei a lanterna da sua mão e vi com inexprimível prazer que a cruz era composta de sete olhos, quatro em uma linha vertical e três na horizontal. O último pergaminho na janela fora explicado da maneira que eu havia previsto. Aqui estava minha "pedra com sete olhos". Até agora os dados do Abade eram exatos e, ao pensar nisso, a ansiedade em relação ao "guardião" voltou sobre mim com força cada vez maior. Ainda assim, eu não recuaria nesse momento. Sem me dar tempo para pensar, derrubei o cimento ao redor de toda a pedra marcada e, em seguida, dei um golpe do lado direito com meu pé de cabra. Ela se moveu imediatamente e vi que era apenas uma placa fina e leve, uma que eu poderia facilmente levantar sozinho — que impedia a entrada na cavidade. Retirei-a inteira e a coloquei no degrau, pois poderia ser muito importante para nós poder recolocá-la. Então, esperei vários minutos no degrau logo acima. Não sei por que, mas penso que tenha sido para ver se alguma coisa horrível sairia correndo. Nada aconteceu. Em seguida, acendi uma vela e, com muito cuidado, coloquei-a dentro da cavidade, com a pretensão de notar se havia ar poluído e de perceber um vislumbre do que havia dentro. Ali *havia* alguma poeira no ar que quase apagou a chama, mas em pouco tempo ela ardeu de forma constante. O buraco ficava um pouco atrás e também à direita e à esquerda da entrada, e pude ver alguns objetos arredondados de cor clara que poderiam ser bolsas. Não adiantava esperar. Encarei a cavidade e olhei para dentro. Não havia nada imediatamente na frente do buraco. Coloquei meu braço e toquei à direita, com muito cuidado... Apenas me dê um copo de conhaque, Brown. Irei adiante em um momento, Gregory...

Depois de uma breve pausa:

— Bem, senti a cavidade à direita e meus dedos tocaram algo curvo, que parecia... sim... mais ou menos como couro. Estava úmido e evidentemente estava cheio de uma coisa pesada. Não havia nada, devo dizer, para alarmar alguém. Fiquei mais ousado e, colocando as duas mãos o melhor que pude, puxei-o até mim e saiu. Era pesado, mas movia-se com mais facilidade do que eu esperava. Ao puxá-lo para a entrada, meu cotovelo esquerdo bateu e apagou a vela. Coloquei a coisa bem na frente da boca e comecei a puxá-la. Nesse momento, Brown deu um grito agudo e subiu rapidamente os degraus com a lanterna. Ele lhe dirá o porquê em um momento. Por mais assustado que estivesse, olhei ao redor atrás dele e o vi ficar por um minuto no topo e depois se afastar alguns metros. Então eu o ouvi dizer baixinho: "Tudo bem, senhor". E continuei puxando a grande bolsa, em uma completa escuridão. Ela se pendurou por um instante na borda do buraco, então deslizou para frente no meu peito e *colocou seus braços em volta do meu pescoço*. Meu caro Gregory, estou lhe dizendo a verdade exata. Acredito que agora estou familiarizado com o extremo de terror e repulsa que um homem é capaz de suportar sem perder sua mente. Só posso contar-lhe agora um resumo básico da experiência. Eu estava consciente de um cheiro horrível de mofo e de uma espécie de rosto frio pressionado contra o meu, movendo-se lentamente sobre a bolsa, e de várias, não sei quantas, pernas ou braços ou tentáculos ou algo agarrado ao meu corpo. Gritei, diz Brown, como uma fera e caí para trás do degrau em que eu estava, e a criatura escorregou, suponho, para o mesmo degrau. Providencialmente, a faixa ao meu redor se manteve firme. Brown não perdeu a cabeça e foi forte o suficiente para me puxar até o topo e me levar prontamente além da borda. Como ele conseguiu isso, exatamente, eu não sei; e acho que ele teria dificuldade ao contar-lhe. Creio que ele conseguiu esconder nossos objetos na construção vazia próxima e, com muita dificuldade, levou-me de volta à estalagem. Não estava em condições de dar explicações e Brown não sabe alemão, mas na manhã seguinte contei às pessoas uma história sobre uma queda feia nas ruínas da abadia, na qual, suponho, eles acreditaram. E agora, antes de prosseguir, gostaria apenas que o senhor ouvisse quais foram as experiências de Brown durante aqueles poucos minutos. Diga ao superior, Brown, o que me disse.

Brown disse de modo baixo e nervoso:

— Bem, senhor, era exatamente assim. O Mestre estava ocupado em frente ao poço e eu estava segurando a lanterna e observando, quando ouvi alguma coisa de cima cair na água, como pensava. Então eu olhei para cima e vi a cabeça de alguém olhando para nós. Suponho que devo ter dito algo, acendi a luz, subi correndo os degraus e minha lanterna brilhou bem no rosto. Isso foi horrível, senhor, se é que alguma vez vi algo assim! Um homem estranho de um rosto muito caído e risonho, eu pensei. E eu subi os degraus tão rápido quanto estou contando e, quando estava fora, no chão, não havia sinal de ninguém. Não houve tempo para ninguém fugir, muito menos para tal sujeito, e me certifiquei de que ele não havia se agachado perto do poço, nem nada semelhante. A próxima coisa que ouvi foi o mestre gritar algo horrível e o vi pendurado pela corda; e o mestre dizia que o que quer que o tivesse pego eu não seria capaz de descrever.

— Ouviu isso, Gregory? — perguntou Sr. Somerton. — Agora tem alguma explicação para esse incidente?

— A coisa toda é tão horrível e anormal, que devo admitir que me deixa totalmente fora de equilíbrio, mas me ocorreu que possivelmente... bem, a pessoa que armou a emboscada pode ter vindo verificar o sucesso de seu plano.

— Exatamente, Gregory, exatamente. Não consigo pensar em nada mais provável, devo dizer, se tal palavra ocupasse algum lugar em minha história. Creio que deva ter sido o Abade... Bem, não tenho muito mais para lhe contar. Passei uma noite miserável, com Brown sentado comigo. No dia seguinte, eu não estava melhor. Incapaz de me levantar, nenhum médico disponível, e, se houvesse um disponível, duvido que pudesse ter feito muito por mim. Fiz Brown escrever para o senhor e passei uma segunda noite terrível. E, Gregory, disso tenho certeza, acho que me afetou mais do que o primeiro choque, pois durou mais: havia alguém ou algo do lado de fora da minha porta durante toda a noite. Quase imagino que sejam mais de um. Não eram apenas os fracos ruídos que ouvia de vez em quando durante as horas da madrugada, mas havia o cheiro... o horrível cheiro de mofo. Todos os trapos que usava naquela primeira noite tirei e fiz com que Brown também tirasse. Acho que ele colocou as coisas na lareira do quarto e, ainda assim, o cheiro estava lá, tão intenso quanto tinha estado no poço e, além disso, veio de fora da porta. Mas com o primeiro vislumbre do amanhecer, aquilo desapareceu e os sons cessaram também. Isso me convenceu de que a coisa, ou as coisas, eram criaturas das trevas e não podiam suportar a luz do dia. Então tive certeza de que, se alguém pudesse colocar a pedra de volta, aquilo ficaria impotente até que outra pessoa a retirasse novamente. Eu tive de esperar até que o senhor viesse para fazer isso. Claro, eu não poderia enviar Brown para fazer isso sozinho e muito menos poderia contar a alguém que pertencia ao lugar. Bem, esta é a minha história, e, se o senhor não acredita, não posso fazer nada. Mas creio que o senhor acredite.

— Na verdade — respondeu Sr. Gregory —, não consigo encontrar uma alternativa. Eu *devo* acreditar! Eu mesmo vi o poço e a pedra e tive um vislumbre, creio, das bolsas ou de qualquer outra coisa no buraco. E, para ser franco, Somerton, acredito que minha porta também foi vigiada ontem à noite.

— Ouso dizer que foi, Gregory, mas, graças a Deus, acabou. A propósito, o senhor tem algo para contar sobre sua visita até aquele lugar terrível?

— Muito pouco — foi a resposta. — Brown e eu conseguimos facilmente colocar a pedra em seu lugar, e ele a fixou muito firmemente com os ferros e os calços que o senhor desejava que ele pegasse, e planejamos sujar a superfície com lama para que se parecesse com o resto da parede. Notei uma coisa na escultura na cabeça do poço, que acho que deve ter escapado do senhor. Era uma forma horrível e grotesca... Talvez mais parecida com um sapo do que qualquer outra coisa, e havia uma inscrição marcada por duas palavras: *Depositum custodi*.[17]

---

17. Mantenha o que lhe foi confiado.

INFORMAÇÕES SOBRE NOSSAS PUBLICAÇÕES
E ÚLTIMOS LANÇAMENTOS

instagram.com/pandorgaeditora

facebook.com/editorapandorga

editorapandorga.com.br